Iniciação à Escrita Mágica Divina

A Magia Simbólica dos Tronos de Deus

Rubens Saraceni
Mentor Espiritual: Seiman Hamiser Yê

Iniciação à Escrita Mágica Divina

A Magia Simbólica dos Tronos de Deus

© 2024, Madras Editora Ltda.

Editor:
Wagner Veneziani Costa (*in memoriam*)

Produção e Capa:
Equipe Técnica Madras

Revisão:
Elaine Garcia
Horacio Menegat

CIP-BRASIL. CATALOGAÇÃO-NA-FONTE
SINDICATO NACIONAL DOS EDITORES DE LIVRO, RJ

Y42i

Yê, Seiman Hamiser (Espírito)
Iniciação à escrita mágica divina: a magia simbólica dos tronos de Deus/ Rubens Saraceni; mentor espiritual Seiman Hamiser Yê. - São Paulo: Madras, 2024.

ISBN 978-85-370-0191-2
1. Sinais e símbolos - Miscelânea. 2. Magia. 3. Obras psicografads. I. Saraceni, Rubens, 1951-. II. Título.
07-0299.

CDD: 133.93
CDU: 133.9

29.01.07   02.01.07   000327

É proibida a reprodução total ou parcial desta obra, de qualquer forma ou por qualquer meio eletrônico, mecânico, inclusive por meio de processos xerográficos, incluindo ainda o uso da internet, sem a permissão expressa da Madras Editora, na pessoa de seu editor (Lei nº 9.610, de 19/2/1998).

Todos os direitos desta edição reservados pela

MADRAS EDITORA LTDA.
Rua Paulo Gonçalves, 88 — Santana
CEP: 02403-020 — São Paulo/SP
Tel.: (11) 2281-5555 – (11) 98128-7754
www.madras.com.br

ÍNDICE

Apresentação 7
Introdução 9
As Escritas Mágicas do Passado 11
Tronos, os Senhores da Magia Divina 13
Os Espaços Mágicos 15
Os Tipos de Magias I 23
    Magias Abertas 23
    Magias Fechadas 24
Os Tipos de Magias II 27
    Atuações Mágicas Descobertas 27
    Atuações Mágicas Cobertas 28
Como se Escreve Magia 31
Espaços Mágicos Inscritos 35
O Círculo Mágico 37
As Posições das Ondas Vibratórias nos Espaços Mágicos Circulares ... 39
    As Posições dos Signos Mágicos 40
A Posição das Ondas Vibratórias nos Espaços Mágicos 43
    Polo Mágico Norte 44
    Polo Mágico Nordeste 45
    Polo Mágico Leste 46
    Polo Mágico Sudeste 47
    Polo Mágico Sul 48
    Polo Mágico Sudoeste 49
    Polo Mágico Oeste 50
    Polo Mágico Noroeste 51
    Polo Teúrgico Norte 52
    Polo Teúrgico Nordeste 52
    Polo Teúrgico Leste 53
    Polo Teúrgico Sudeste 53
    Polo Teúrgico Sul 54
    Polo Teúrgico Sudoeste 54
    Polo Teúrgico Oeste 55
    Polo Teúrgico Noroeste 55
O Que São Ondas Vibratórias 57
Os Níveis Vibratórios Inscritos no Espaço Mágico 61
    Multiplicação das Ondas Vibratórias Verticais 62
    Multiplicação das Ondas Vibratórias Horizontais 63

Multiplicação das Ondas Vibratórias Inclinadas.. 64
Multiplicação das Ondas Vibratórias Inclinadas.. 65
Ondas Vibratórias, a Base da Criação Divina.. 67
Os Símbolos e os Signos Mágicos.. 75
As Ondas Vibratórias e os Fatores de Deus... 77
Os Fatores de Deus 79
Os Fatores Divinos... 83
A Inscrição Divina na Magia Riscada.. 91
A Escrita Mágica dos Tronos de Deus... 93
   Signos Astrologicos 95
Escrita Astrológica... 99
   Signos Planetários 101
Alfabetos Mágicos 103
Trono Masculino da Fé 113
   Ondas Vibratórias, Signos e Símbolos do Trono Masculino da Fé........ 113
Trono Feminino da Fé.. 125
   Ondas Vibratórias, Signos e Símbolos do Trono Feminino da Fé.......... 125
Trono Masculino do Amor... 133
   Ondas Vibratórias, Signos e Símbolos do Trono Masculino do Amor... 133
Trono Feminino do Amor 139
   Ondas Vibratórias, Signos e Símbolos do Trono Feminino do Amor ... 139
Trono Masculino do Conhecimento... 145
   Ondas Vibratórias, Signos e Símbolos do Trono Masculino do
   Conhecimento 145
Trono Feminino do Conhecimento 149
   Ondas Vibratórias, Signos e Símbolos do Trono Feminino do
   Conhecimento 149
Trono Masculino da Justiça 155
   Ondas Vibratórias, Signos e Símbolos do
   Trono Masculino da Justiça 155
Trono Feminino da Justiça... 161
   Ondas Vibratórias, Signos e Símbolos do Trono Feminino da Justiça... 161
Trono Masculino da Lei... 167
   Ondas Vibratórias, Signos e Símbolos do Trono Masculino da Lei 167
Trono Feminino da Lei 173
   Ondas Vibratórias, Signos e Símbolos do Trono Feminino da Lei......... 173
Trono Masculino da Evolução... 179
   Ondas Vibratórias, Signos e Símbolos do Trono Masculino da Evolução... 179
Trono Feminino da Evolução... 187
   Ondas Vibratórias, Signos e Símbolos do Trono Feminino da Evolução.. 187
Trono Masculino da Geração... 195
   Ondas Vibratórias, Signos e Símbolos do Trono Masculino da Geração.. 195
Trono Feminino da Geração 201
   Ondas Vibratórias, Signos e Símbolos do Trono Feminino da Geração.... 201
Os Pontos Riscados.. 207
Magias Simbólicas para uso Pessoal.. 209

Apresentação

Amigo leitor, este livro de iniciação à escrita mágica divina é uma abertura parcial de um dos mais fascinantes mistérios da magia simbólica, toda fundamentada em símbolos e signos, muitos deles já conhecidos dos magos e usados por eles desde os primórdios da humanidade.

A magia simbólica sempre foi usada e o simbolismo tem inúmeros livros que procuram decifrar e ensinar seus significados e seus poderes às pessoas que os apreciam e os usam, seja como talismãs protetores ou repulsores de energias negativas e entes trevosos.

Talismãs e pantáculos mágicos sempre foram e sempre serão usados pelas pessoas que creem nos seus poderes. Mas, um pantáculo não consagrado corretamente às divindades "inscritas" nele com certeza será somente um belo adorno e nada mais.

Cópias modernas de antigos pantáculos mágicos são inoperantes porque estão desconectados das divindades que ativam os símbolos e signos mágicos ou cabalísticos inscritos neles.

Este nosso livro é um início à escrita mágica divina e esperamos que você, amigo leitor, após lê-lo, descortine um pouco do magnífico mistério das antigas escritas mágicas.

Aqui, não terá a palavra final sobre este assunto, complexo e inesgótavel, mas sim apenas um início ao fascinante simbolismo mágico.

Muitos autores já exploraram esse campo da magia e nos trouxeram várias elucidações, úteis e aplicáveis pelas pessoas que recorreram aos seus formulários de magia riscada simbólica.

Neste nosso livro abordamos a origem e a regência de alguns símbolos, signos e mandalas, inclusive ensinamos como usar alguns deles em seu benefício, caso você creia no poder realizador deles, certo?

O mistério das ondas vibratórias transportadoras de energias divinas e cujos "modelos" geram símbolos, signos e mandalas foi aberto para nós por mestre Seiman Hamiser Yê, sendo que em nenhum outro livro de magia riscada simbólica encontrarão algo sobre elas, seja de autores brasileiros ou estrangeiros, já que era assunto fechado do astral superior e era totalmente desconhecido por todos os que usavam a magia riscada ou escrita mágica em seus trabalhos de alta magia ou magia teúrgica.

Pesquisamos dezenas de livros de magia e nenhum deles comenta as ondas vibratórias irradiadas pelas divindades e que se espalham por todo o Universo, ocupando todos os quadrantes da criação divina, infinita em qualquer sentido.

Esperamos que ele seja útil aos apreciadores da simbologia e às pessoas que trabalham com a magia riscada, mas que o seja também a você, amigo leitor, pois em um capítulo especial daremos algumas "magias riscadas" para que você as use em seu benefício.

Tenha uma boa leitura e um bom aprendizado porque as ondas vibratórias comentadas amplamente aqui têm muito a ver com a física quântica e com a "teoria das supercordas", confirmando o que nos foi dito há muitos anos por um mestre espiritual, quando ele nos disse isto:

— Filhos, a química moderna é a antiga alquimia, e a física moderna é a antiquíssima magia, assim como a magia riscada é a pura geometria divina, usada pelo Supremo Arquiteto na construção do universo físico e de todas as outras dimensões da vida que são em si verdadeiros universos paralelos ao material.

Comparem os fatores de Deus com as micropartículas e as ondas vibratórias com as "supercordas" e vislumbrem como Deus é infinito em si mesmo e em tudo o que criou para nós.

Introdução

Os Tronos de Deus são as divindades responsáveis pela evolução dos seres, aos quais regem religiosamente, sempre segundo as "feições" humanas que lhes têm sido dadas pelos sacerdotes das muitas religiões já semeadas na face da Terra.

Os Tronos transcendem nossas concepções humanas acerca deles porque são em si mistérios de Deus, sendo que cada um é uma das qualidades d'Ele e atuam em campos específicos da vida dos seres.

Uns são Tronos da Fé, outros são Tronos do Amor, outros são Tronos da Justiça, outros são Tronos da Lei, etc.

Então, temos as hierarquias dos Tronos de Deus, cada uma responsável por um aspecto da criação e por um sentido da vida.

Temos sete hierarquias religiosas muito bem definidas ou sete linhas de ação e reação.

Essas sete irradiações divinas correspondem ao Setenário Sagrado que rege o nosso planeta e suas muitas dimensões da vida aqui existentes, todas elas habitadas por bilhões de seres naturais, não encarnantes, que seguem uma evolução vertical e que nunca são adormecidos e não têm interrupção na aprendizagem, como acontece conosco, os espíritos encarnantes.

Os muitos seres excepcionais que encarnam e fundam religiões aqui no plano material são espíritos que vieram diretamente das hierarquias divinas dos Tronos de Deus, que os enviam à dimensão humana para abrir novas religiões que mudam os nossos conceitos acerca d'Ele e tornam-se vias evolutivas para milhões de espíritos ainda paralisados pelas amarras terrenas, adquiridas quando viveram com intensidade as coisas do mundo material.

Alguns desses seres especiais precisam encarnar algumas vezes até que consigam tornar-se atratores naturais de espíritos. Já outros o conseguem em suas primeiras encarnações, tal como o conseguiram os amados mestres Jesus e Buda.

Mas tudo isso é desconhecido e todos se acham grandes conhecedores de Deus e dos Seus mistérios e vão logo dando suas opiniões, criando seus dogmas e impondo a muitos suas doutrinas e suas concepções pessoais sobre Ele, arvorando-se em Seus intérpretes e Seus representantes únicos aqui no plano material.

Essa é uma vaidade vã e um negativismo bem característico das muitas religiões existentes na face da Terra.

Logo, discutir é perda de tempo e não leva a nada além de um desgaste desnecessário.

Deus é maior que tudo o que possamos imaginar e não é propriedade de ninguém e muito menos dessa ou daquela religião.

O homem nem bem conhece o próprio planeta e muito menos sobre o Universo, que é infinito, como tudo que é criado por Deus, e, no entanto, ousa arvorar-se em Seu intérprete e Seu representante. Vaidade vã!

Nós não nos sentimos donos d'Ele ou de seus mistérios, mas sim, nos reconhecemos como Seus filhos e beneficiários dos Seus mistérios. Por isso, e justamente por isso, temos facilidade em comentar Seus mistérios e Suas divindades e dar uma interpretação abrangente e universalista sobre elas e sobre Ele, o nosso Divino Criador.

Mas isso não nos torna mais sábios ou melhores que ninguém. Apenas somos menos possessivos e dogmáticos, mais abertos aos novos conhecimentos e mais receptivos as revelações transcendentes que nos trazem os mensageiros instrutores.

Assim tem sido e assim sempre será, pois os mensageiros instrutores só procuram quem está aberto às novas revelações e as recebe como dádivas divinas e procuram distribuí-las para seus semelhantes encarnados.

Então, nós, abertos às revelações transcendentes, vamos abrir ao plano material mais alguns dos aspectos da criação divina. E abriremos o mistério da escrita mágica, tão presente na vida dos seres quanto a escrita religiosa (as doutrinas).

A magia é um fenômeno e é um mistério até para os seus praticantes. Mas não será mais após este livro, escrito agora com o consentimento expresso dos Mensageiros Tronos de Deus, os regentes das religiões e das magias.

Rubens Saraceni

As Escritas Mágicas do Passado

As escritas mágicas foram desenvolvidas no decorrer dos tempos, e só quem as desenvolveu sabia os significados que tinham e qual a funcionalidade delas dentro de um espaço mágico.

Os fundamentos das magias não são revelados em nenhum dos livros que pesquisei, ainda que travestidos de toda uma aura científica ou de alta magia, na verdade inscreveram letras de antigos alfabetos sem conhecerem as potências divinas correspondentes e sua ação vibratória.

Tudo o que circula na literatura mágica, encontrarão no livro *O Mago*, de Francis Barrett. Ele, sim, é um compilador de tudo o que circulava na Europa de então.

O seu livro, publicado pela primeira vez em 1801, foi a fonte de todos os estudiosos desde então, porque reuniu tudo o que existia e facilitou a vida de quantos recorreram a ele.

Transcrevemos aqui, na íntegra, o primeiro parágrafo da introdução da sua edição de 1994, publicada pela editora Mercúrio Ltda.

"Esta é a primeira reimpressão fac-símile, feita neste século, de *O Mago*, de Francis Barrett. Durante muitos anos foi um livro raro e caro, um livro que poucos estudantes do ocultismo tinham a possibilidade financeira de colocar em suas estantes e cujo conteúdo é pouco conhecido. Na verdade, ele é pouco conhecido somente na íntegra, pois é difícil um livro ter sido mais pilhado e furtado que este, pelos escritores modernos de assuntos afins, que, desejando engrossar os seus próprios tratados, transcreviam textualmente passagens inteiras da obra de Barrett, sem citar a fonte, dando assim a impressão de terem realizado uma profunda pesquisa em textos medievais sobre magia".

Eis aí a verdade sobre tantos livros de "magia" que não funcionam, pois Barrett compilou o que existia, mas não nos transmitiu os fundamentos ocultos, pois estes já haviam se perdido no tempo.

Compilar e mostrar o que existe à disposição do público é algo louvável.

Mas, muitos tentaram, copiando de Barrett, criar uma magia riscada desprovida de fundamentos, na qual os signos, símbolos e ondas vibratórias inscritas não correspondiam "de fato" aos seus regentes divinos.

É certo que travestiram seus escritos de um intelectualismo ocultista e deram uma impressão forte de que dominavam realmente um conhecimento oculto. Mas hoje, de posse do livro de Barrett, podemos ver que se inspiraram nele, em Papus, em Eliphas Levi e outros autores para trazer algo sem fundamento e inoperante, pois as divindades não respondem magisticamente a quem não conhece seus fundamentos e não foi iniciado neles.

Com isso, com toda a confusão criada pelas "magias riscadas" impostas por alguns autores, a simples, prática, funcional e bem fundamentada escrita mágica foi sendo deixada de lado por muitos adeptos da magia, pois os tais livros traziam coisas diferentes nesse campo da magia.

Eu não fui iniciado nos mistérios maiores dos sagrados Tronos por pessoas, mas sim por espíritos excelsos, aos quais me reporto sempre que tenho dúvidas.

Aqui, terão todo um conhecimento simples, prático e funcional de magia riscada, pois é usada por muitos magos sem que conheçam realmente o mistério das irradiações vivas dos sagrados Tronos de Deus.

No final deste livro, inseriremos algumas páginas da obra de Francis Barrett para que vocês vejam um pouco do que ele compilou há dois séculos.

Com isto, acho que terão uma ideia de como a magia escrita se processa e tem se desenvolvido no decorrer dos séculos e através das religiões, pois todas têm o seu lado esotérico ou oculto, somente conhecido por quem o codificou e o desenvolveu, de forma prática e funcional, por meio de processos magísticos.

Aqui, neste livro, vocês não terão acesso às ondas vibratórias, signos e símbolos negativos pertencentes aos regentes dos polos magnéticos-energéticos-vibratórios opostos ou invertidos, pois há uma proibição expressa da Lei Maior sobre esta "escrita mágica oposta".

Mas, não tenham dúvida, ela existe e alguns tolos têm usado os restos dela que sobreviveram à grande queda vibratória da humanidade pré-diluviana.

Aqui, somente terão a "magia divina" ou magia dos Sagrados Tronos, riscada ou traçada a partir da inscrição de suas ondas vibratórias, dos seus signos, dos seus símbolos e de suas mandalas.

Tenham uma boa leitura e um bom aprendizado sobre a escrita mágica.

TRONOS, OS SENHORES DA MAGIA DIVINA

A magia divina é dividida em duas vertentes: uma religiosa e outra energética.

- Na magia religiosa, as divindades naturais são evocadas quando são oferendadas em seus santuários naturais e o ritual é um ato religioso, revestido de preceitos e posturas religiosas por quem a realiza.
- Na magia energética, as divindades são ativadas a partir de uma escrita mágica ou magia riscada e são usados elementos mágicos específicos.
- Na magia religiosa, as velas são usadas para iluminar as oferendas propiciatórias e como sinal de respeito e de reverência para com as divindades às quais elas são consagradas e firmadas.
- Na magia energética, as velas são apenas mais um dos elementos mágicos usados pelo magista e não têm o sentido de iluminar algo, mas sim se destinam a projetar ondas energéticas ígneas que queimarão egrégoras e energias negativas, etc.

Os Tronos são as divindades de Deus que regem a evolução dos seres e formam a classe dos Tronos de Deus.

Eles têm duas hierarquias ou vertentes, sendo uma religiosa e outra mágica.

A vertente religiosa auxilia os seres por meio da fé e dos guia em suas religiosidades, não importando qual é a crença seguida pelas pessoas. Eles transcendem as religiões estabelecidas aqui na Terra e cuidam de todos os seres gerados por Deus, sendo que muitos dos nossos irmãos nunca encarnaram e seguem uma evolução chamada de "vertical" porque nela não existe o deslocamento para o nosso plano material da vida.

Já a vertente magística caminha em paralelo com a vertente religiosa e auxilia os seres por meio de procedimentos mágicos aos quais as pessoas recorrem para a rápida solução de suas dificuldades.

Existem duas magias, sendo que uma é a religiosa e acontece sempre que uma pessoa vai a um santuário natural e a realiza ali, revestindo-a de procedimentos religiosos tal como já comentamos antes.

Quanto à vertente magística, ela tem seus procedimentos próprios e os Tronos têm uma escrita ou grafia específica, também denominada de "magia riscada", pois é ativada a partir de pontos cabalísticos riscados com o giz ou pemba.

A vertente magística não ativa espíritos, pois é toda energética, magnética e vibratória e são suas irradiações vivas que agem quando eles são ativados magisticamente.

Esta vertente mágica dos Tronos já vem sendo usada desde eras remotas, em que eles eram evocados com outros nomes, associados a divindades de culturas e religiões já extintas na face da Terra.

Toda magia tem que estar associada a alguma divindade. E todas as divindades regentes religiosas provêm das hierarquias dos sete Tronos de Deus, que são os regentes da evolução dos seres.

Os Espaços Mágicos

Os espaços mágicos são fundamentais à magia, e, sem eles muito bem delimitados não haveria magia, mas sim o caos desordenador.

Logo, é fundamental que o mago delimite o espaço onde ativará sua magia, pois dentro dele tudo deverá acontecer.

O mago somente ativa uma magia caso tenha um objetivo em mente. Mas, como fatores impensados podem interferir, então deve criar o espaço mágico e dotá-lo de um campo eletromagnético, energético, vibratório e irradiante que permitirá que suas determinações mágicas se cumpram somente dentro do espaço que criou, pois somente assim o caos não se estabelecerá assim que tudo se iniciar.

Nós sabemos que o espaço religioso dos templos tem uma finalidade análoga, pois o que acontece dentro deles não afeta a vida das pessoas que moram ao seu redor.

Sim, nada do que acontece dentro de um templo extrapola suas paredes físicas e mesmo que alguém more numa casa que tenha uma parede em comum, ainda assim não será afetada pelo que os sacerdotes realizam do outro lado dela.

Sabem por quê?

Não?

Então nós explicamos: é porque todo trabalho religioso, ao ser aberto pelo sacerdote, abre-se em um campo vibratório específico e diferente da vibração comum a todo plano material, que é onde vivem as pessoas.

O plano material é dotado de um magnetismo e de uma vibração só sua e que é comum a toda a humanidade e a todas as criaturas e espécies aqui existentes.

Então, Deus estabeleceu os espaços religiosos, que são os templos. E neles, desde que pertença a uma mesma religião, assim que recebem suas "pedras fundamentais" já se cria uma vibração eletromagnética afim com a da irradiação divina, que lhes dão sustentação.

Saibam que, aqui no plano material, a irradiação divina que dá sustentação à religião católica é a mesma para todas as igrejas, capelas, mosteiros ou conventos católicos.

Mas, se o Catolicismo Apostólico Romano, fundamentado na divindade Jesus, tem sua irradiação específica, os templos da Igreja Ortodoxa Grega também têm suas irradiações específicas, só dela, e que sustentam todos os seus templos, assim como todas as seitas Evangélicas ou Protestantes também têm sua irradiação específica e que somente se abre nos espaços religiosos dos seus templos.

Uma mesma divindade, Jesus Cristo, dá sustentação a esses templos, mas através de três irradiações diferentes que, quando se abrem para o plano material e dentro dos templos que as absorvem, viram e criam espaços religiosos bem definidos e que não se confundem com o das outras religiões que também O cultuam.

- Igreja Romana — Divindade Jesus
- Igreja Ortodoxa — Divindade Jesus
- Protestantismo — Divindade Jesus

Três igrejas, três formas distintas de adorações; três tipos de espaços religiosos fundamentados numa mesma divindade.

Mas ainda temos o espiritismo de Kardec, da mesma forma fundamentado na divindade Jesus, que também irradia uma vibração específica para todos os centros espíritas e que cria, dentro de cada um, um campo eletromagnético que isola seu interior do mundo exterior, dando-lhe proteção durante as sessões espíritas, assim como, impedindo que possíveis desobsessões ou descargas que ali ocorram atravessem suas paredes e venham a interferir na vida dos seus vizinhos.

"Deus é o perfeito e tudo o que cria traz em si Sua perfeição divina".

Logo, os espaços religiosos são limitados ao interior dos templos das muitas religiões existentes, e cada religião possui seu magnetismo específico, só dela.

- A religião judaica possui seu magnetismo específico e todas as sinagogas têm uma mesma vibração, magnetismo e energia.
- A religião islâmica possui seu magnetismo específico e todas as mesquitas têm uma mesma vibração, magnetismo e energia.
- E o mesmo acontece com todas as demais religiões existentes na face da Terra.

Com isso explicado, então já sabem como são os espaços religiosos e o porquê da existência deles, não?

Sim, senão haveria o caos religioso! Se todos os sacerdotes das muitas religiões existentes evocassem numa mesma vibração religiosa Deus e suas divindades, todos os trabalhos religiosos seriam vulneráveis às projeções

mentais contrárias, irradiadas pelos fiéis de uma religião contra os fiéis das outras religiões.
Vocês duvidam?
Pois saibam que cada religião, desde as maiores até as menores e desde as mais antigas até as mais novas, todas chamam para si a posse da procuração dada por Deus para serem as únicas portadoras das verdades divinas reveladas aos homens. E se julgam as únicas a falar em Seu nome, como se Ele não fosse um bem comum a tudo e a todos e se apenas uns poucos tivessem o acesso direto que nos conduz a Ele.
Saibam que o único acesso que nos conduz a Deus está em nós mesmos e é a nossa fé n'Ele. Quanto às religiões, elas são potencializadoras dessa nossa fé porque a intensificam e conduzem muitos numa mesma direção assim que as aceitam como vias evolutivas.
Não há uma religião melhor que as outras, mas, sim, religiões que acolhem em seus espaços religiosos as pessoas que têm afinidades religiosas.
Bem, já têm uma ideia do espaço religioso e do porquê de todos os templos de uma mesma religião terem a mesma vibração, não importando se é um templo novo ou antigo ou se é luxuoso ou humilde.
A divindade é quem estabelece a irradiação que cria os campos eletromagnéticos dentro deles e a vibração interna de todos são iguais.
Com isso esclarecido, então saibam que todas as religiões também têm seus céus e seus umbrais específicos, pois, para umas, certos hábitos humanos são tidos como pecados, e para outras não.

- Vide o monoteísmo judaico e o politeísmo hindu.
- Vide a monogamia cristã e a poligamia islâmica.

Os homens estabelecem a doutrina e determinam a conduta dos fiéis de uma religião, codificando suas leis e determinando o comportamento religioso e civil dos seus seguidores, acolhidos dentro dos espaços religiosos das religiões que criam.
"Que cada um seja recompensado ou punido pelos princípios estabelecidos pelos homens, e que individualizam as religiões criadas por eles".
Se todas prometem o céu ou ameaçam com o inferno, então isso está implícito a todos os fiéis de todas as religiões existentes na face da Terra. E os caminhos que conduzem a estes dois lados opostos estão dentro dos espaços religiosos de cada uma, pois o seu magnetismo positivo conduzirá para o "alto" (céu) os seus fiéis virtuosos e conduzirá para o "embaixo" (infernos) os não virtuosos.
E cada um encontrará do outro lado da vida aquilo que lhe foi prometido aqui na Terra pelo seu sacerdote.
Agora, no campo de ação da magia, os princípios que a regem são os da Lei Maior e os da Justiça Divina de Deus, dos quais temos pouco conhecimento e aos quais não dominamos, pois escapam ao nosso poder humano. Adaptamo-los ao nosso modo de interpretar as leis divinas porque

são princípios universais, comuns a toda a criação divina, que é muito maior que esse nosso pequeno planeta, habitado em seu plano material por nós, os espíritos encarnados, limitados à dimensão humana da vida. E que é apenas uma entre tantas outras existentes aqui mesmo, mas invisíveis à nossa limitada visão materialista.

Saibam que os princípios, dogmas ou leis "humanas" de uma religião somente se aplicam aos seus fiéis e não têm o menor poder sobre a vida e o espírito dos fiéis das outras religiões, assim como não influenciam a vida dos seres que vivem nas outras dimensões da vida, existentes nesse nosso planeta ou em outros, às quais desconhecemos e que desconhecem a nossa.

Já as leis e os princípios da magia são comuns a toda a criação divina, porque seus fundamentos mágicos estão assentados em Deus e nos seus Mistérios Vivos, denominados por nós de "Divindades de Deus".

Essas divindades de Deus não pertencem a este nosso planeta ou a qualquer outro, pois são comuns a todos e atuam como princípios divinos, em si mesmas, em toda a criação que, se é infinita, está sujeita e é regida pelos mesmos princípios divinos, imutáveis pela nossa vontade humana.

Nós até podemos dar feições humanas a esses princípios divinos para que sejam melhor entendidos. Mas mudá-los nos é impossível.

Deus, na Sua infinita generosidade, concedeu-nos a permissão para "humanizarmos" Seus princípios e Seus mistérios vivos, pois sabe que somente assim — sendo nós, os limitados seres criados por Ele, o Ilimitado e Ilimitável —, podem ser apreendidos pela nossa mente e pela nossa fé.

Mas o Mago deve ter em mente que os princípios e mistérios da magia são comuns a toda a criação divina e a mesma evocação que ativa uma magia aqui no plano material a ativa no plano espiritual, ambos dentro da dimensão humana da vida, assim como a ativa nas outras dimensões da vida existentes dentro desse nosso pequeno planeta. Assim como a ativa em outros planetas e nas suas muitas dimensões.

Se evocarmos o divino Trono da Fé, estaremos evocando o princípio divino que sustenta a fé em Deus e que rege a religiosidade em toda a sua criação, que é infinita. Mas, ao mesmo tempo, estaremos evocando um Mistério Vivo, que é em si mesmo a qualidade religiosa de Deus, comum a toda a Sua criação e presente em toda ela, ainda que se localize em graus vibratórios diferentes ou em diferentes dimensões da vida.

O princípio divino e o Mistério Vivo da Fé em Deus não podem ter uma feição humana, só nossa, porque estão presentes em todo o universo que nos é visível, mas inalcançável, assim como estão presentes nos que nos são invisíveis e sequer podem ser imaginados porque pertencem a outras realidades de Deus, o Ilimitado em todos os sentidos.

O Mago não evoca mistérios divinos limitados a uma religião ou dimensão da vida, seja ela a dimensão humana em suas duas vertentes (a material e a espiritual), ou seja ela uma das sete dimensões elementais básicas, ou seja ela uma das trinta e três dimensões duais, ou seja ela uma das quarenta e nove dimensões encantadas, ou seja ela uma das setenta e sete dimensões naturais da vida (a dimensão humana está inclusa neste número de dimensões naturais).

Se o Mago evocar o divino Trono da Fé, ele estará evocando um Mistério Vivo de Deus que está presente em toda a criação divina e, ao ativar uma magia na sua irradiação divina, estará ativando princípios que têm suas formas de aplicação e que são comuns a todos os seres.

Logo, o Mago não atua igual a um sacerdote, pois este evoca os Mistérios Vivos de Deus, mas limitados pela feição humana que determinou que eles tivessem.

"O sacerdote precisa de valores religiosos bem definidos senão não consegue atrair o seu rebanho de fiéis e colocá-los todos dentro de um mesmo espaço religioso e ter todos sob uma mesma irradiação divina adaptada aos espíritos humanos".

Já o Mago, este ativa ou desativa as irradiações divinas que são comuns a toda a criação de Deus, e uma magia negativa pode ser desativada por ele, assim como pode ser revertida ou anulada.

Não que um Mago lide com valores superiores, ou seja superior espiritualmente e moralmente a um sacerdote. Apenas os magos lidam, evocam e ativam valores muito mais abrangentes que os dos sacerdotes.

- Os limites dos sacerdotes são os que sua doutrina ensina e estão codificados nos princípios que cultivam e que os diferenciam uns dos outros.
- Os limites dos magos são os da própria criação divina (ilimitados).

Logo, os sacerdotes têm que se ater ao campo de sua religião e, teoricamente, um judeu estará pecando caso evoque Jesus Cristo, pois o judaísmo nega sua divindade.

E um cristão peca caso evoque Buda, pois o cristianismo prega que apenas Jesus conduz o homem até Deus.

As religiões, ao limitarem a fé dos seus fiéis aos seus valores religiosos, limitam a si mesmas e aos seus sacerdotes, sempre preocupados com seus rebanhos e com as investidas dos outros sacerdotes sobre eles. Investidas estas que são vistas com os avanços de demônios que querem destruir sua igreja e dizimar seu rebanho.

Já o Mago não tem essa preocupação, pois sua magia não é cristã, judaica, budista, islâmica, etc., e sim, é a magia divina, comum a todos os seres, a todas as criaturas e a todas as espécies criadas por Deus.

Saibam que o Mago lida com aspectos de caracteres universais e encontrados em todos os quadrantes da criação divina.

O Mago lida com princípios divinos e evoca Mistérios Vivos (Divindades de Deus) comuns a tudo e a todos.

Quando evocamos o divino Trono da Fé, estamos evocando a divindade de Deus que rege sobre a fé e a religiosidade em todos os quadrantes da criação divina.

Ele tanto ampara os Anjos quanto os homens, assim como limita os demônios. E impõe limites a todos porque é em si essa qualidade de Deus (fé e religiosidade), que limita tudo e todos aos seus respectivos campos de atuação, aos seus magnetismos individuais ou comuns a uma mesma classe de seres, e às suas vibrações mentais.

Ele é tão ilimitado no sentido da fé porque é em si essa qualidade de Deus. E, quando o Mago o evoca em sua magia, está evocando um Mistério Vivo, que atua tanto sobre os Anjos como sobre os homens, assim como também atua sobre os demônios.

Logo, o poder dos Anjos, dos homens e dos demônios são limitados aos seus campos de atuações, todos contidos dentro dos limites ilimitados do divino Trono da Fé, que é em Si o Poder, o Princípio e o Mistério Vivo de Deus, que atua em toda a sua criação divina, limitando tudo e todos e colocando cada um no seu respectivo campo religioso dentro do ilimitado campo da fé regido por Ele, o divino Trono da Fé em Deus.

Logo, uma magia negativa será anulada, revertida ou desativada pelo Mago.

Pessoas que lidam apenas com mistérios de grau médio ou menor não são magos na acepção desse nome.

Magos lidam com valores divinos comuns a toda a criação divina e encontrados em todos os quadrantes dos muitos universos de Deus.

Um mago é mago neste planeta e nas suas muitas dimensões da vida, umas paralelas às outras, todas distribuídas verticalmente e com cada uma obedecendo a uma vontade de Deus e seguindo fielmente as suas determinações divinas, mas todas regidas pelos mesmos princípios e Mistérios Vivos emanados por Ele, o nosso Divino Criador.

Um mago é mago neste planeta ou em qualquer quadrante da criação divina, pois é, em si, um ativador de princípios e Mistérios Vivos comuns a toda a criação e que regem tudo e todos.

Por isso, o mago abre em qualquer lugar espaços mágicos dentro dos quais ativa suas magias, podendo abri-los dentro dos espaços religiosos de todas as religiões existentes na face da Terra ou nos santuários naturais das divindades de Deus.

Um mago, se precisar atuar dentro do campo específico de uma divindade, vai até ele, pede a permissão dela e ali, dentro do seu campo religioso natural, ele abre seu espaço mágico e ativa sua magia, que acontecerá naturalmente.

O campo do mago é ilimitado e ele pode atuar nos campos vibratórios de todas as religiões, porque sempre se curva diante de suas divindades regentes, as saúda e as reverencia e depois pede permissão para ativar suas magias, regidas pelos Sete Princípios Divinos e sustentadas pelos Sete Mistérios Vivos de Deus, que são os seus Sete Tronos.

Os Sete Princípios Divinos são estes:

- Princípio da Fé (campo da religiosidade)
- Princípio do Amor (campo da concepção)
- Princípio do Conhecimento (campo do saber)
- Princípio da Justiça (campo do equilíbrio)
- Princípio da Lei (campo da ordenação)
- Princípio da Evolução (campo da transmutação)
- Princípio da Geração (campo da criatividade)

Os sete Tronos de Deus são estes:

- Trono da Fé — rege a religiosidade
- Trono do Amor — rege a união
- Trono do Conhecimento — rege o aprendizado
- Trono da Justiça — rege a razão
- Trono da Lei — rege o caráter
- Trono da Evolução — rege o aperfeiçoamento
- Trono da Geração — rege o criacionismo

Os Sete Princípios acima citados são comuns a toda a criação divina e cada um regula um aspecto da criação divina.

Os Sete Tronos acima citados são os Mistérios Vivos de Deus, e que animam e imantam tudo o que Ele criou porque são em Si mesmos essas qualidades vivas d'Ele, exteriorizadas, cada uma, numa de Suas Sete Divindades.

Cada um destes sete Tronos de Deus tem sua hierarquia de divindades, umas regentes de campos muito grandes, mas, ainda assim, limitados dentro do ilimitado campo de cada um deles.

Todas as divindades geradoras e irradiadoras de fé em Deus estão contidas dentro do campo do divino Trono da Fé e suas irradiações fluem através de seus graus magnéticos específicos. E o mago, antes de evocá-las, deve evocar o divino Trono da Fé para, só então, evocar a divindade em cuja irradiação e campo vibratório irá abrir seu espaço mágico e cujo mistério irá manifestar e atuar especificamente dentro do espaço que o mago abriu. E só realizará o que ele determinar em sua oração mágica.

E o mesmo se aplica aos outros seis Tronos de Deus e aos princípios que os identificam como Mistérios Vivos de Deus.

- Dentro de espaços neutros comuns a todos os seres, criaturas e espécies;
- Dentro de todos os espaços religiosos comuns a todos os fiéis de uma religião;
- Dentro de todos os santuários naturais (da natureza);
- Dentro de todos os lares, locais públicos, lojas comerciais ou estabelecimentos industriais;

Dentro de todos esses espaços, o mago pode abrir um espaço mágico com uma finalidade específica; pode evocar um ou vários Tronos de Deus e as divindades de suas hierarquias e, em sua oração mágica, determinar o que quer que aconteça dentro do espaço mágico que abriu, ou que se realize a partir dele, pois esta é uma atribuição sua.

Um mago somente é limitado por si mesmo, seja pelo seu grau evolutivo, seja pelo seu poder mental ou por sua fé nas suas evocações e determinações mágicas.

Não são poucos os magos que se desvirtuaram e colocaram seus "poderes" a serviço de causas injustas ou a serviço de sua soberbia, cobiça, ambição, inveja ou ira. Mas todos perderam, e sempre perderão, a luz de suas coroas e terão seus símbolos sagrados invertidos, perdendo com essa inversão o poder de evocar as divindades das hierarquias dos sete Tronos de Deus.

Assim, limitam-se a si mesmos e tornam-se escravos dos Mistérios Vivos negativos que regem sobre os aspectos negativos da Criação Divina, que são limitados em si mesmos e somente se exteriorizam caso alguém (ser, criatura ou espécie) os desenvolva em seu íntimo e os alimente com suas vibrações negativas, tais como as de ódio, inveja, cobiça, luxúria, soberbia, exibicionismo, etc.

Esses Mistérios Vivos negativos não têm feições "humanas" pois são, em si, análogos aos sentimentos dos seres que os exteriorizam: são desumanos ou desumanizadores. Muitos os descrevem como bestiais ou demoníacos, infernais mesmo!

Os seres que os exteriorizam são, em si mesmos, os tão temidos portais para as trevas e as sombras difusas da ignorância e da descrença na onipotência, na onipresença, na onisciência e na oniquerência de Deus.

Mas, desses "magos caídos", que cuidem deles seus desumanos senhores porque o mago não é positivo ou negativo, mas tão somente um servo de Deus; é um instrumento vivo, ativo e dotado de raciocínio que se consagrou ao serviço dos seus Sete Tronos Divinos e apenas ativa suas magias após evocar Deus e saudá-Lo com amor, fé e reverência.

Este sim é um mago, pois sabe que todo poder emana de Deus e irradia-se para toda a Sua criação por meio dos seus Sete Tronos Divinos.

O verdadeiro mago não diz que é poderoso ou que é ilimitado.

Não. O verdadeiro mago tem consciência de que é um instrumento de Deus, colocado por Ele a serviço de Seus Sete Tronos Divinos e das Divindades que formam suas hierarquias divinas.

Os Tipos de Magias I

Magias Abertas

São aquelas que não são limitadas por círculos mágicos ou quaisquer outros limitadores, tais como triângulos, estrelas, etc.

Numa magia aberta, seja ela realizada em uma casa, em um templo ou em um ponto de forças da natureza, as suas irradiações sairão do eixo magnético vertical (alto-embaixo), concentrar-se-ão no eixo magnético horizontal (direita-esquerda) e projetar-se-ão horizontalmente no mesmo nível vibratório do magista ou teurgo, alcançando seus objetivos sem subir ou descer para outros níveis vibratórios.

Vamos a um exemplo de magia aberta realizada sob a irradiação do Trono da Justiça:

Magia Aberta

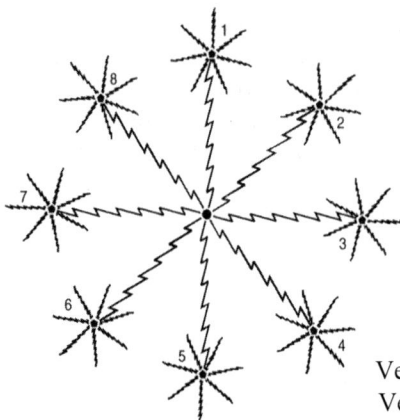

Vela do Centro de Cor Vermelha
Velas das Pontas de Cor Laranja

Observem que oito raios ígneos partem do centro (eixo magnético vertical) e se irradiam pelas oito posições mágicas ou polos magnéticos, multiplicando-se e projetando múltiplos raios purificadores dos ambientes ou consumidores de energias etéricas negativas condensadas dentro deles, sejam casas ou templos.

As determinações do mago direcionarão o trabalho a ser cumprido pelos raios ígneos desta magia "horizontal", pois ela capta a irradiação vertical do Trono da Justiça e a multiplica pelos oito polos mágicos horizontais.

Esta magia é denominada de magia aberta, porque ela projetará horizontalmente seus raios para onde o mago determinar, e alcançará objetivos localizados a distância, mas sempre dentro do nível vibratório "terra", anulando atuações mágicas ou espirituais também provenientes desse mesmo nível vibratório.

Magias Fechadas

São aquelas que são limitadas dentro de um espaço mágico, tais como círculos, triângulos, estrelas, etc.

Nesse caso as irradiações do eixo magnético vertical projetar-se-ão horizontalmente ou perpendicularmente em todos os níveis vibratórios existentes desde o "alto" até o "embaixo" ou desde o polo positivo até o polo negativo.

Nestas magias, que podem ser realizadas em quaisquer locais, o espaço é o limitador do campo mágico e o que estiver acontecendo dentro do círculo, triângulo, etc., não se espalha à volta no plano vibratório do mago, pois o círculo conterá em seu interior todas as ondas vibratórias ativadas. Mas, caso o mago determine, então poderão sair ondas vibratórias, energéticas ou eletromagnéticas para o nível vibratório terra, que é neutro.

Nesses casos, é porque ele também detectou atuações mágicas ou espirituais horizontais provenientes do nível vibratório terra ou neutro, muito comuns porque os magos negativados retiram seres ou criaturas dos níveis vibratórios inferiores e, após assentá-los no nível terra, passam a usá-los dentro do nível neutro, que é onde vivemos.

Saibam que os magos negativados trazem seres ou criaturas dos níveis vibratórios inferiores e os assentam no nível terra, onde passam a usá-los para atingirem pessoas, templos ou empresas, todos vítimas de seus trabalhos encomendados.

Para esses seres ou criaturas, os círculos mágicos ou magias positivas fechadas são fatais, pois, ou os devolverão aos seus níveis vibratórios originais, retirando-os do plano terra, ou os esgotarão energéticamente dentro deles.

Saibam que as magias abertas dificilmente conseguem capturá-los em suas ondas vibratórias porque eles "descem" para níveis vibratórios inferiores localizados abaixo no nível terra, que é neutro.

Eles descem para níveis inferiores e, inalcançáveis, esperam que a magia positiva aberta se extinga. Então sobem novamente e continuam a servir seus senhores encarnados, dos quais se servem para se alimentarem de energias físicas e para transitar livremente pelo nível neutro, semeando tormentos na face da Terra.

Então, temem os círculos mágicos ou as magias fechadas porque, ou serão esgotados energeticamente dentro deles e serão reduzidos a ovoides, ou serão presos dentro da sua cadeia eletromagnética, de onde serão enviados para seu nível vibratório original, do qual não conseguirão fugir mais, porque estarão presos dentro do círculo que se formará ali e ficarão retidos na cadeia eletromagnética, formada aqui no nível neutro, mas projetada até seu nível original.

As magias fechadas são muito temidas porque são centradas no eixo vertical e, caso uma magia negativa tenha sido realizada com a evocação de um ente negativo assentado em um nível vibratório negativo, esse ente será alcançado lá embaixo, bem no seu nível original, esgotando-o energeticamente ou consumindo-o e reduzindo-o a ovoide.

Saibam que os magos negativos abrem círculos mágicos e através deles evocam entes trevosos, que sobem pelo eixo magnético vertical, colocam-se de frente para seus evocadores, recebem as determinações mágicas negativas e depois retornam aos seus níveis vibratórios originais. Então, a partir de "baixo", e através da passagem (o próprio círculo mágico negativo aberto pelo mago negativo) começam a cumprir as determinações que receberam.

Eles deslocam o círculo mágico negativo segundo suas vontades e geralmente os afixam embaixo das pessoas magiadas ou das casas delas tendo, com isso, uma passagem aberta pela qual transitam para chegar até o nível neutro ou terra assim que o sol se põe, ou após a meia-noite, que é tida como a "hora grande" para os entes trevosos.

Saibam que os "donos" dessas passagens negativas para o nível neutro costumam negociar com outros entes trevosos não possuidores de passagens, e cobram um "pedágio" pelo uso delas.

Esse pedágio ou preço é pago de várias formas e o mais comum é exigirem que quem passar para o nível neutro ou nível terra comece a atuar contra quem o mago trevoso determinou que o senhor do círculo mágico negativo atormentasse.

Estes donos dos círculos mágicos negativos não gostam de se expor, pois temem as reações da Lei Maior às suas atuações negativas.

Então, recorrem a seres ou criaturas inferiores para realizarem as determinações mágicas que receberam. E são tantos os que se oferecem e que se prestam para tais atuações, pois somente assim retornam ao nível neutro e deixam de ser atormentados pelas energias negativas que absorvem dos locais onde vivem, e só assim deixam de servir de "alimento" energético para entes trevosos existentes no "embaixo".

Mas, também, os donos dos círculos mágicos negativos projetam ondas vibratórias negativas até as pessoas atuadas e começam a absorver suas energias vitais, num processo de vampirismo energético à longa distância, pois através dessas ondas, as energias das pessoas atuadas descem por "canos", como acontece com a água.

Com isso, lentamente, as pessoas atuadas começam a sentir-se cansadas, apáticas ou doentes.

Eles também costumam enviar energias negativas para as pessoas atuadas e muito rapidamente envenenam o corpo energético delas, lançando-as numa prostração inexplicável, e que não é cortada facilmente pelas atuações espirituais das linhas da direita ou da esquerda, pois sempre que estes espíritos cortam os cordões energéticos, os donos dos círculos negativos projetam outros e voltam a atormentar as pessoas vítimas de suas atuações.

E, caso uma pessoa atuada vá a um centro espiritualista, e passe por um "descarrego", que afasta os seres ou criaturas trevosas que subiram através da passagem para atormentá-la, novas levas sobem e reiniciam as atuações negativas.

Então, o Mago da Luz abre um espaço mágico fechado, afixa dentro dele ondas vibratórias, as mais em acordo com o tipo de atuação negativa, evoca os divinos Tronos da Lei Maior e da Justiça Divina e determina que a partir dali seja anulada a atuação mágica negativa; que sejam purificados todos os seres e entes trevosos que estejam atuando contra a pessoa magiada (que deverá entrar dentro do círculo mágico positivo); que sejam esgotadas todas as energias negativas condensadas dentro do seu corpo energético e dentro do seu campo eletromagnético, assim como, que o círculo mágico negativo seja fechado.

Eis o fim correto, e em acordo com os princípios e ditames da Lei Maior e da Justiça Divina, dos círculos mágicos negativos ativados por magos negativos.

Então, concluindo esse capítulo, definimos os espaços mágicos abertos como magias horizontais, realizadas "dentro" do nível vibratório neutro ou nível terra, e definimos os espaços mágicos fechados como magias verticais, realizadas no nível neutro ou terra, mas que, por serem realizadas no eixo magnético vertical, abrem-se justamente no nível vibratório onde estão assentados os donos das magias negativas.

A seguir, um exemplo de magia fechada:

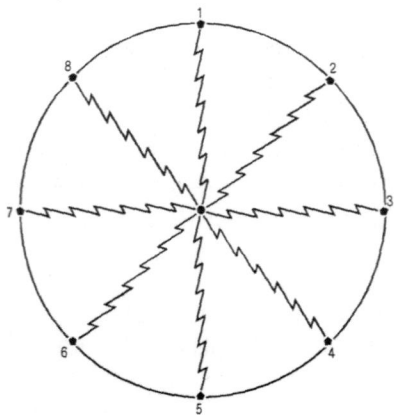

Vela do Centro de Cor Branca
Velas das Pontas nas Cores
Vermelha, Laranja ou Variadas

Os Tipos de Magias II

Atuações Mágicas Descobertas

São aquelas realizadas em um espaço mágico, seja ele aberto ou fechado, mas que o mago que as realizar não toma a precaução de cobrir a si e à sua magia com poderes adicionais, cuja finalidade visa preservá-lo, não deixando-o exposto a possíveis reações provenientes dos donos dos círculos mágicos negativos que combaterão.

Sim, isso costuma acontecer porque os magos negativos, após ativarem suas magias, costumam cercá-las com "proteções" cuja finalidade é a de reagirem contra quem tentar desativá-las.

Essas "proteções" consistem na afixação e ativação de outros poderes mágicos negativos ao redor do círculo mágico negativo ativado por eles. E que não são visíveis ou detectáveis pelo Mago da Luz que, totalmente descoberto, tenta fechar o círculo negativo aberto por eles.

Em uma atuação mágica descoberta, o Mago da Luz simplesmente ativa uma magia positiva para anular a magia negativa que está atormentando as pessoas que o procuram.

Então, caso o círculo mágico negativo estiver cercado por "proteções", estas se voltarão contra o Mago da Luz e até poderão atingi-lo profundamente, pois ele não se "cobriu" com as devidas precauções contra estas possíveis armadilhas. E, em consequência, começará a ser atuado e bloqueado pelas "proteções", que tudo farão para derrotá-lo e lançá-lo na apatia ou mesmo na doença e descrença quanto aos seus poderes.

Atuações Mágicas Cobertas

São atuações nas quais o Mago da Luz cobre-se com certas forças e poderes que o defenderão de possíveis reações negativas, provenientes dos "protetores" do círculo mágico negativo aberto contra a pessoa (as) que o procura.
Vamos a vários tipos de coberturas:

1. Manter sempre acesa uma vela branca para o seu anjo da guarda.
2. Firmar um triângulo de velas, consagradas aos Tronos da Lei Maior e da Justiça Divina, pedindo-lhes a devida proteção nas suas atuações mágicas e, a seguir, colocar no centro dele uma vela branca, consagrada ao anjo da guarda, aos protetores espirituais e ao próprio Mago da Luz que irá atuar magisticamente em benefício de quem o procurar.
3. Quando ativar o círculo mágico positivo que anulará a magia negativa, o Mago da Luz, durante a sua evocação, deve determinar que, caso existam proteções mágicas ao redor da magia negativa que irá anular, que as irradiações do alto do Altíssimo (de Deus) devem anulá-las, esgotá-las e diluí-las, consumindo todos os entes trevosos firmados ao seu redor ou as fontes vivas negativas que estão protegendo a magia negativa, assim como, devem formar em torno de si um campo eletromagnético consumidor de ondas negativas e protetor do seu mental e do seu espírito.

Cremos que essas coberturas sejam suficientes para que um Mago da Luz nunca sofra por causa das reações dos "protetores" das magias negativas ativadas pelos magos negativos contra pessoas, templos, residências ou estabelecimentos comerciais, etc.

Mas, caso queiram, podem traçar oito raios dentro de um círculo mágico, firmar uma vela de cada cor na ponta de cada um e uma branca no seu centro. Então, devem fazer essa evocação mágica, que é uma determinação teúrgica:

"Meu Divino Criador e senhor meu Deus, eu evoco a Ti e aos Teus divinos Tronos regentes da evolução dos seres, assim como, evoco os divinos guardiões celestiais da Tua Lei Maior e da Tua Justiça Divina para aqui e nesse momento clamar pela Tua misericórdia divina, para que a pessoa (quando não identificarem o mago negativo) que ativou esta magia negativa contra esse meu irmão, que essa pessoa sofra as sanções da Tua Lei Maior e da Tua Justiça Divina e que, de agora em diante, seja punida pelos Teus guardiões celestiais, que deverão retirar-lhe todos os poderes mágicos negativos e afastar dela todas as forças negativas (entes ou criaturas infernais) que lhe dão cobertura em suas atuações mágicas negativas".

Essa evocação teúrgica é o terror dos entes e das criaturas infernais, assim como é o fim, mesmo, dos "poderosos" magos negativos que se comprazem quando ficam sabendo que suas magias negativas atingiram alguém.

Após essa evocação teúrgica, o mago negativo alvo dela começará a definhar magisticamente e a perder seus reais poderes.

Muitos continuarão a atuar, mas só para ludibriar os incautos de má-fé que ainda acreditarem que ele tem poderes malignos, pois com isso continuarão a mostrar-se "poderosos" ou a tomar o dinheiro das pessoas movidas por sentimentos desumanos, que os procurarão com o único intuito de prejudicar seus semelhantes.

Como se Escreve Magia

Magia se escreve com signos, símbolos, traços retos e traços curvos.

Mas, em verdade, escrever magia é abrir, numa superfície plana (uma madeira, uma lajota ou no próprio solo), um espaço mágico e afixar dentro dele as ondas vibratórias das divindades, riscando-as e ativando-as.

As ondas vibratórias dos Tronos são muitas e cada uma tem uma forma de fluir somente sua, ainda que todas se assemelhem.

Nós temos à nossa disposição ondas retas, ondas curvas, ondas raiadas, ondas espiraladas, ondas entrelaçadas, ondas cruzadas, ondas coronais, ondas caniculares, ondas bifurcadas, ondas tripolares, ondas tetrapolares, ondas pentapolares, ondas hexapolares, ondas septipolares, ondas octopolares, ondas eneapolares, etc.

Enfim, existem muitos tipos de ondas vibratórias naturais, sendo que umas são ondas puras, outras são ondas mistas e outras são ondas compostas.

- As ondas puras são transportadoras de energias, vibrações e magnetismos puros das divindades, conhecidas como ondas fatorais.
- As ondas mistas são transportadoras de energias, vibrações, magnetismos complementares entre si, e são denominadas de ondas elementais.
- As ondas compostas são as resultantes da fusão de muitos tipos de ondas puras ou de ondas mistas e são transportadoras de um amálgama energético, magnético e vibratório poderosíssimo.

Em magia, as ondas compostas são muito usadas e nós as fundimos dentro de um espaço mágico, riscando-as e ativando-as magisticamente.

Escrevemos vários tipos de ondas e, após evocarmos os Tronos que as irradiam naturalmente de si, ativamos um campo eletromagnético e criamos um polo mágico "vivo", capaz de irradiar-se e alcançar outros níveis vibratórios e outras dimensões da vida.

Cada onda vibratória escrita em um espaço mágico, assim que é ativada, liga-se à sua tela vibratória planetária multidimensional. Regida pelo Trono que a irradia de si mesmo e a sustenta totalmente apenas com seu poder mental.

Às vezes, nós não escrevemos toda uma onda vibratória que cruze os sete níveis vibratórios positivos e os sete negativos, mas sim, somente escrevemos uma pequena parte dela. Parte essa que denominamos de "signo mágico".

Os signos mágicos são pequenos traços, mas que, em magia escrita, simbolizam uma onda vibratória completa e têm tanto poder de realização quanto elas. Nós os vemos nos antigos livros de magia.

Livros de magia escritos há séculos ou milênios e reeditados periodicamente apenas intrigam seus leitores, pois quem os compilou não revelou os fundamentos dos signos, símbolos e ondas ali afixados, e muitos os copiam e dão a eles suas interpretações pessoais, afastando-se ainda mais da verdadeira escrita mágica.

Já vimos signos e símbolos mágicos compilados por Francis Barrett em seu livro *O Mago* ou a Milícia Celeste, editado em Londres, G.B., em 1801 e reimpresso no Brasil pela editora Mercúrio Ltda., em 1994, livro este que inspirou toda uma gama de escritos mágicos editados posteriormente por outros autores.

- Os magnetismos dos Tronos formam polos eletromagnéticos com formas bem definidas, e que são os símbolos mágicos ou religiosos reunidos nos livros de simbologia à disposição dos leitores, mas aos quais faltam os fundamentos que os originaram. Dar uma interpretação pessoal a um símbolo é uma coisa. Interpretá-lo segundo seu real significado esotérico ou oculto, aí reside a diferença entre conhecimentos fundamentais e uma mera compilação.
- Ondas vibratórias que formam as telas planetárias Tronos e nas quais refletem todos os nossos atos, palavras e pensamentos, onde são gravados e ficam impressos como nosso carma.
- Ondas eletromagnéticas ou ondas transportadoras de energias através dos níveis vibratórios, das muitas dimensões e planos da vida existentes nesse nosso abençoado planeta.
- Fusão de ondas puras ou mistas, que dão origem a signos, símbolos e ondas compostas compartilhadas por vários Tronos, tornando impossível a identificação peremptória de qual deles é seu regente principal porque todos eles as irradiam naturalmente e as usam quando são evocados magisticamente.

Há livros de magia de pemba ou de pontos riscados que são compilados por pessoas que pesquisam o assunto e vão colecionando os pontos de trabalho, de firmeza de descarga ou de corte de magias negras, todos riscados por guias de lei de Umbanda.

Nós, observando os pontos riscados, os vemos como verdadeiros. Mas apenas indicam a quem pertencem. E muitas vezes vemos que até isto está errado.

Esperamos que de agora em diante as confusões e interpretações errôneas cessem, e as pessoas interessadas por magia riscada aprendam que sem o conhecimento das ondas vibratórias, dos magnetismos, dos signos e dos símbolos sagrados dos Tronos, escrever sobre tais assuntos é pura especulação.

Existem vários tipos de magias riscadas cujas funções são bem específicas, tais como:

1º ponto a ponto de firmeza do espaço religioso onde são realizados trabalhos espirituais, religiosos e magísticos.
2º ponto a seu ponto de trabalhos espirituais.
3º ponto a seu ponto de trabalhos religiosos.
4º ponto a seu ponto de trabalhos de descargas energéticas, magnéticas e vibratórias.
5º ponto a seu ponto de firmeza da "porteira" ou da entrada por onde passam os seus frequentadores.
6º ponto a ponto de firmeza das divindades que os regem religiosa e magisticamente.
7º ponto a ponto coletivo ou ponto riscado no qual podem afixar os Tronos que precisarem para ajudar pessoas e espíritos.

Também há o 8º ponto riscado e que é seu "nome" mágico ou ponto identificador.

Como os guias espirituais não podem revelar os fundamentos magísticos dos pontos que riscam, então também limitam as explicações que dão quando são inquiridos dizendo mais ou menos isto: Esse é meu ponto riscado.

Mas, na verdade, eles conhecem a fundo a escrita mágica e a usam sempre que precisam ou se seus médiuns tiverem e lhes derem a abertura mental para tanto, já que essa magia escrita ou magia dos pontos riscados tem de estar firmada no plano material para poder interagir no plano espiritual.

Saibam que, quanto maior for a abertura mental dos médiuns, mais os guias de lei de Umbanda recorrem aos pontos riscados. E quanto menor for essa abertura, menos eles recorrem, deixando de usar um recurso poderosíssimo, que dispensa maiores esforços para cortar demandas e magias negativas e para descarregar os centros onde atuam e as pessoas que os consultam periodicamente, tornando muito trabalhosa a ajuda que dão aos que recorrem a eles.

Finalizando este capítulo, concluímo-lo dizendo isto: magia se escreve com os conhecimentos sobre os magnetismos dos Tronos de Deus, sobre suas ondas vibratórias, suas energias fatorais, seus signos e símbolos mágicos e religiosos.

Quanto ao resto, é apenas compilação ou interpretação pessoal sobre o que se vê, mas não se conhece. E como há interpretação pessoal! O espírito de Francis Barrettt que o diga!

Espaços Mágicos Inscritos

Os tipos de espaços mágicos existentes são vários e podem ser abertos ou fechados.

1º) Os espaços abertos não são limitados por círculos ou triângulos e podem ser raiados, espiralados, em cruz ou quadrados.

- os espaços raiados são formados pelos próprios raios, que podem ser retos, curvos ou quebrados (raios).
- os espaços espiralados são formados pelas próprias espirais.
- os espaços mágicos em cruz ou quadrados são formados pelas hastes da cruz, ou pelos quatro cantos dos quadrados mágicos.

2º) Os espaços fechados podem ser triangulares, circulares, pentagonais, hexagonais, etc.

- os espaços triangulares são formados por um triângulo equilátero.
- os espaços circulares são formados por um ou vários círculos concêntricos.
- os espaços pentagonais são formados por uma figura geométrica de cinco lados ou pentágono.
- os espaços hexagonais são formados por uma figura de seis lados, ou hexágono.

Mas também podemos formar espaços mágicos de sete lados ou mais.

Os espaços mágicos são fundamentais à magia escrita porque delimitam o espaço mágico, dentro do qual tudo acontecerá assim que uma magia for ativada pelo médium magista.

Saibam que as magias negativas realizadas dentro de círculos mágicos ou de outras figuras geométricas somente são anuladas caso o espaço negativo venha a ser fechado por uma magia positiva ou se o ser por traz dela desativá-lo efetivamente.

É muito comum encontrarmos espaços mágicos negativos dentro do lar de pessoas magiadas ou mesmo embaixo delas, bem debaixo dos seus pés, e que se deslocam junto com elas e as seguem para onde forem.

Por esses espaços mágicos negativos sobem energias e ondas negativas para as pessoas magiadas, que as internalizam e sofrem sensações desagradáveis ou sintomas de doenças, não identificáveis pelos médicos porque as energias enfermiças se alojam no corpo energético ou espiritual das pessoas.

A magia escrita dos Tronos de Deus fecha esses espaços mágicos negativos e descarrega as pessoas, curando-as de doenças localizadas no corpo espiritual e que muitas vezes já se concretizaram em seus corpos físicos.

Os espaços mágicos podem ser puros, mistos ou compostos.

- os espaços mágicos puros são chamados por nós de "mandalas" e são formados pelas ondas vibratórias de uma única divindade.
- os espaços mágicos mistos são chamados por nós de "cabalas" e são formados pela combinação de ondas vibratórias de várias divindades.
- os espaços mágicos compostos são chamados por nós de "pontos riscados" e são formados pela combinação de diferentes ondas vibratórias, pelo acréscimo de vários símbolos sagrados e pela afixação neles de vários signos mágicos, que são "pedaços" de ondas vibratórias não inscritas a partir dos pontos cardeais mágicos.

Dentro dos espaços mágicos são acrescidos símbolos e signos mágicos cujos significados apenas são entendidos realmente e interpretados corretamente por quem conhece as ondas vibratórias e os símbolos sagrados dos Tronos de Deus.

Vamos, a seguir, comentar os círculos mágicos porque são os espaços mais usados em magia.

O Círculo Mágico

O círculo mágico é o espaço mágico por excelência porque dentro dele estão contidos todos os campos magísticos.

Dentro dele estão todos os símbolos mágicos e seus signos magísticos.

O círculo mágico significa o extremo das irradiações, e é onde estão localizados os polos mágicos ou teúrgicos das divindades regentes das irradiações divinas.

O círculo mágico também serve como delimitador do espaço mágico dentro de um espaço maior, seja ele religioso ou neutro.

- Espaço religioso é o interior dos templos ou os pontos de forças das divindades, tais como: beira-mar, cachoeiras, matas, etc.
- Espaço neutro são as casas ou locais públicos que não se prestam a práticas religiosas.

Já o círculo mágico, este pode ser aberto riscando-o com uma pemba ou giz branco, e dentro dele o mago terá um campo eletromagnético onde trabalhará com energias e ondas vibratórias.

Dentro dos círculos mágicos, o mago afixa (escreve com a pemba ou giz branco) os símbolos sagrados, as ondas vibratórias teúrgicas ou mágicas e os signos mágicos, dando-lhes "atividade" mágica ou teúrgica.

Tudo acontecerá dentro dele e tudo se iniciará e se sustentará a partir do que o mago afixou e colocou em seu espaço mágico.

Um círculo mágico, assim que é ativado pelo mago, adquire "vida própria" e realizará as determinações que lhe forem dadas. Determinações essas que deverão ser feitas durante a evocação mágica dos senhores dos mistérios, senhores da Lei Maior e da Justiça Divina, que são os Tronos de Deus, os senhores da magia.

A necessidade do círculo mágico se explica porque tudo o que acontecerá após a evocação mágica somente poderá acontecer dentro dele, não interferindo em nada que estiver fora dele, pois apenas assim o caos não se estabelecerá.

Um círculo mágico pode ser delimitado através dos riscos feitos com a pemba, como pode ser feito com azeite, sal grosso, carvão, pó de mármore, de granito ou de alguma pedra mineral, e mesmo com a afixação de velas nos oito pontos cardeais, norte, sul, leste, oeste, nordeste, noroeste, sudeste e sudoeste.

Ao afixarem as velas (cada uma para um Trono diferente), já abriram um círculo mágico delimitado pelas chamas das velas ou por um "círculo de fogo" não escrito.

"O fundamento das oferendas religiosas, que são cercadas por velas acesas é este, o do espaço mágico circular".

As Posições das Ondas Vibratórias nos Espaços Mágicos Circulares

As ondas vibratórias, sejam elas mágicas ou teúrgicas, são inscritas a partir dos pontos cardeais mágicos ou polos eletromagnéticos magísticos.

- Ondas mágicas são aquelas que partem do centro do espaço mágico, que pertencem às diferentes divindades firmadas nele, e ocupam apenas um dos quadrantes do espaço onde está inscrita.
- Ondas teúrgicas são ondas vibratórias que cruzam todo o espaço mágico, pertencem às duas divindades regentes de uma mesma irradiação divina e que ocupam todo o espaço mágico onde são inscritas, sempre na posição em que são riscadas, sejam elas verticais, horizontais ou inclinadas.

A diferença entre ondas mágicas e teúrgicas reside no fato de que as primeiras são limitadas e as segundas são abrangentes.

- A magia ativa ondas limitadas, e ativa elementos mágicos que podem ser anulados pelas ondas teúrgicas.
- A teurgia ou magia divina ativa ondas vivas das divindades, ondas essas que são capazes de anular os elementos mágicos e até as ondas mágicas.

As Posições dos Signos Mágicos

Em magia, temos que observar a posição dos signos mágicos porque eles obedecem aos polos ativados em um círculo ou símbolo mágico.

A circunferência ou círculo mágico possui polos eletromagnéticos estáveis, nos quais afixamos o início de uma onda mágica ou teúrgica, e dos quais elas serão alimentadas e sustentadas.

Vamos aos polos eletromagnéticos dos círculos mágicos:

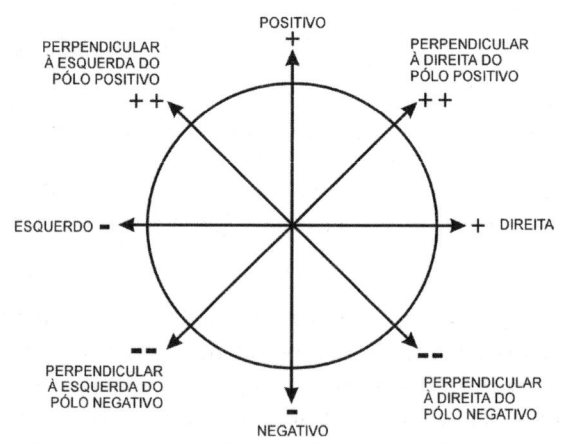

Observem que usamos o eixo vertical como ponto de partida na leitura dos polos mágicos. Mas, se usarmos o eixo horizontal, aí a leitura será diferente, vamos a ela:

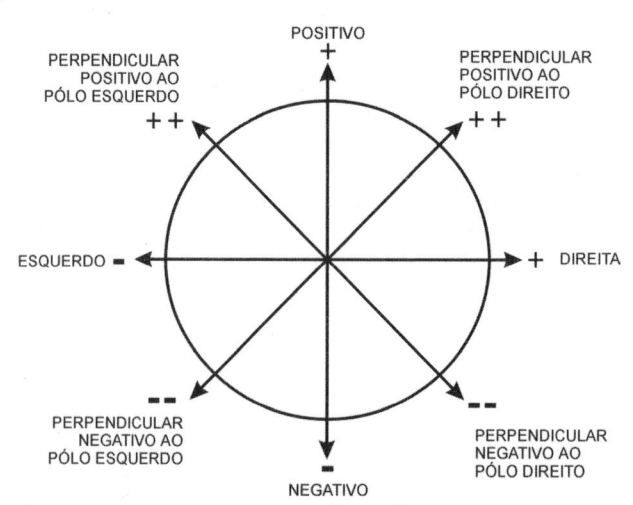

As leituras dos polos são estas porque a divisão do círculo mágico ou sua quadratura é esta:

- Polo positivo (o alto) (norte)
- Polo negativo (o embaixo) (sul)
- Polo direito (à direita) (leste)
- Polo esquerdo (à esquerda) (oeste)

A irradiação vertical serve para dividir o círculo mágico em duas partes: uma à direita e outra à esquerda.

A irradiação horizontal serve para dividir o círculo mágico em duas partes: a de cima, positiva e a de baixo, negativa.

Essa divisão do círculo mágico cria vários campos, dentro dos quais o mago trabalha com elementos que são energeticamente opostos entre si ou que devem ser separados dentro de um mesmo espaço.

Dentro do círculo mágico, em cada espaço separado pelas ondas mágicas ou teúrgicas, nós podemos adicionar símbolos, signos ou elementos mágicos, tais como: água, folhas, pedras, etc.

Desta forma tornamos muito mais abrangente um espaço mágico e podemos auxiliar melhor quem nos procurar, pois com o acréscimo abriu novas irradiações.

Quanto aos polos eletromagnéticos ou pontos cardeais de um círculo mágico, nós acrescentamos símbolos ou signos mágicos, indicando qual ou quais divindades foram inscritas nele e estão atuando magisticamente.

Nos capítulos mais adiante, nos quais descreveremos as ondas vibratórias vivas das divindades, os seus símbolos sagrados e os seus signos mágicos, poderão ver uma gama de signos e como deverão ser inscritos numa onda viva ou num quadrante dos círculos mágicos.

A Posição das Ondas Vibratórias nos Espaços Mágicos

Nos espaços mágicos, as ondas obedecem a posição que foram traçadas.

Como temos oito polos cardeais, então temos quatro ondas cruzando um mesmo espaço, caso firmemos um Trono em cada polo de um círculo mágico.

As posições cardeais são: norte-sul, leste-oeste, nordeste-sudeste, noroeste-sudoeste, que são estas:

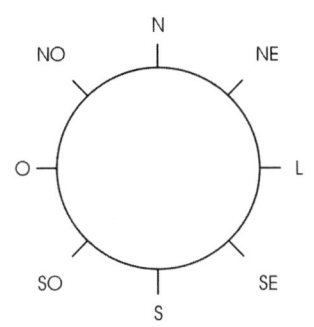

A partir dessa distribuição dos polos magnéticos de um círculo mágico nós vamos riscar as ondas nessas oito posições, em que a onda central, inscrita dentro do círculo, multiplica-se em outras sete ondas passivas e sete ativas ou sete ondas positivas e irradiantes e sete ondas negativas ou absorventes.

Essas ondas, se forem mágicas, ocupam apenas um quadrante do círculo, mas, se forem ondas teúrgicas, então cruzam todo ele, formando uma tela mágica correspondente às sete faixas vibratórias positivas e às sete faixas negativas, todas ocupadas por espíritos, uns na luz e outros nas trevas.

Vamos primeiro às posições das ondas mágicas em suas oito posições. Depois daremos as oito posições das ondas teúrgicas e suas distribuições nos círculos mágicos.

Uma observação:

- ondas mágicas são aquelas que partem do centro do círculo ou chegam a ele e ocupam apenas um dos quadrantes do espaço inscrito.
- ondas teúrgicas são aquelas que cruzam todo o espaço mágico, pertencem a uma mesma irradiação e ocupam todo ele.

1ª — Ondas mágicas inscritas dentro de um círculo mágico.

POLO MÁGICO NORTE

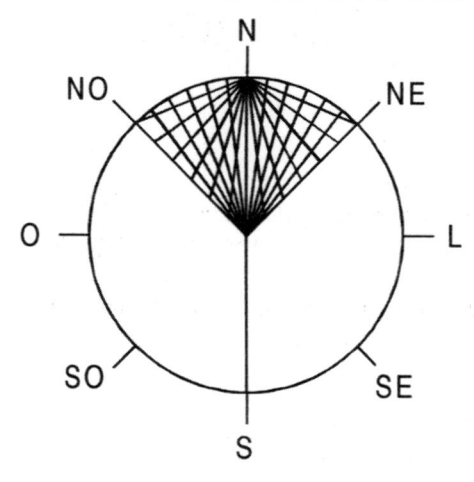

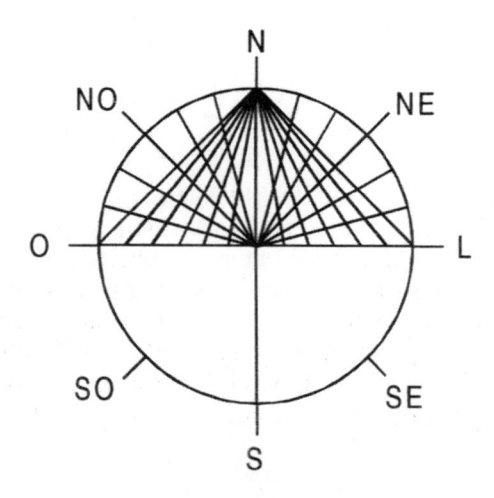

Polo Mágico Nordeste

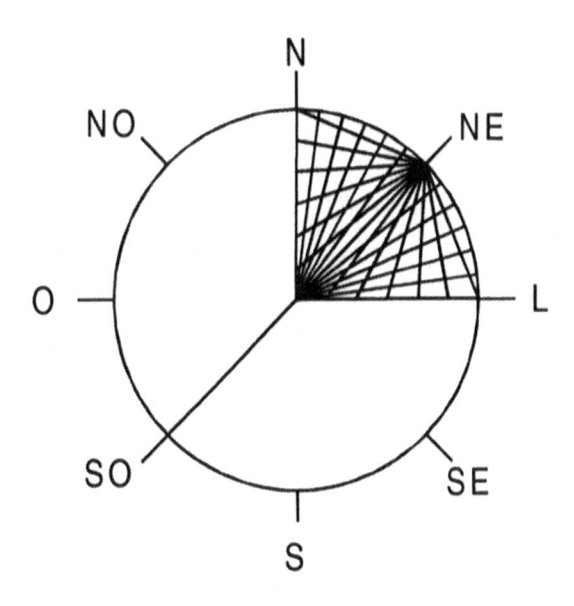

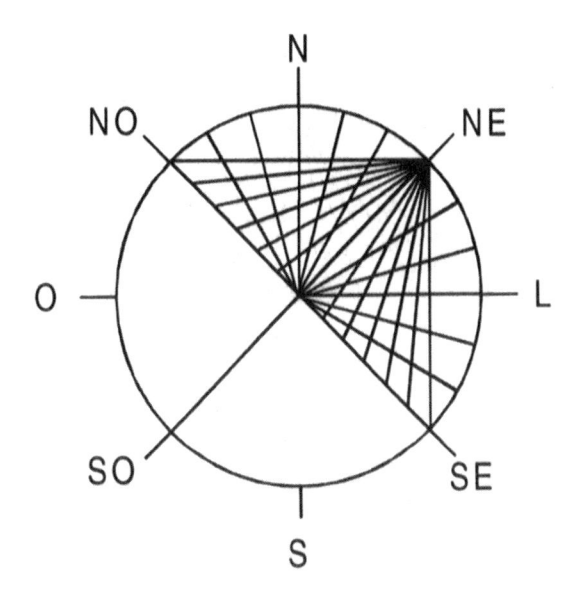

Polo Mágico Leste

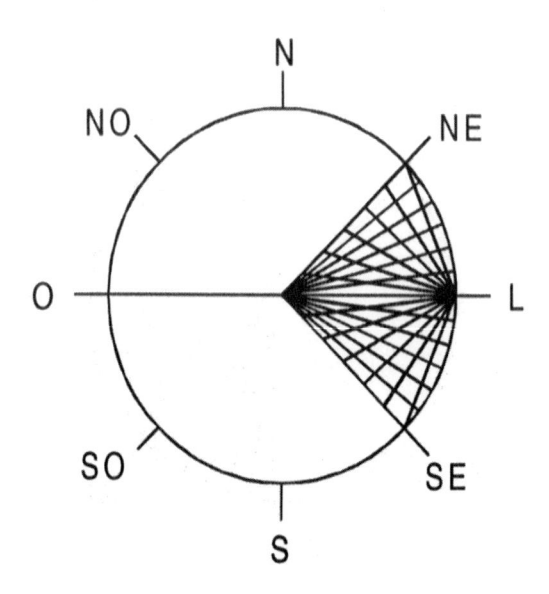

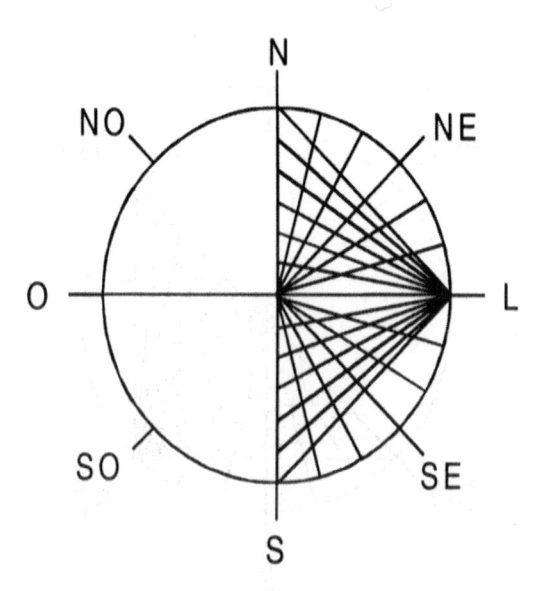

Polo Mágico Sudeste

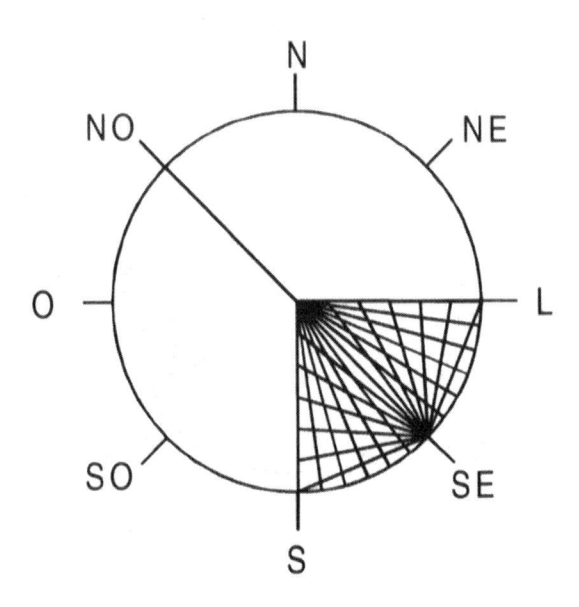

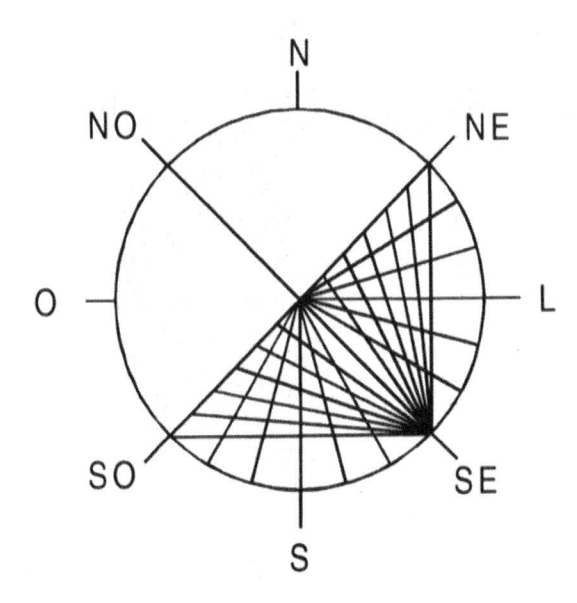

Polo Mágico Sul

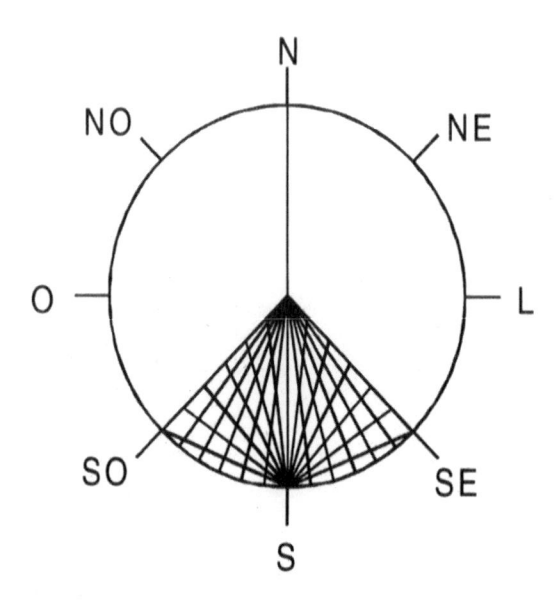

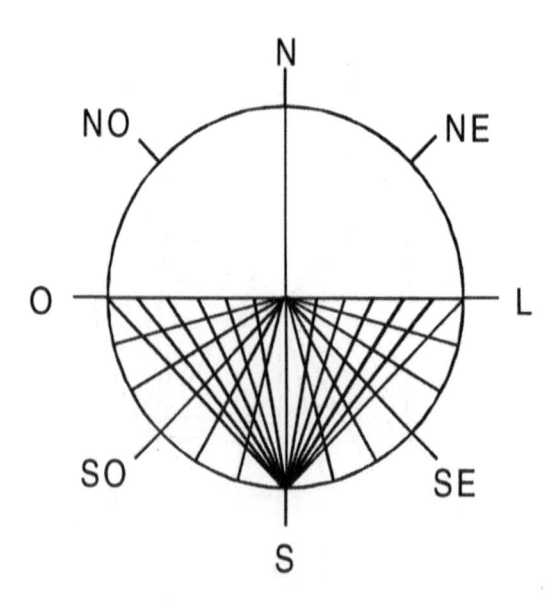

Polo Mágico Sudoeste

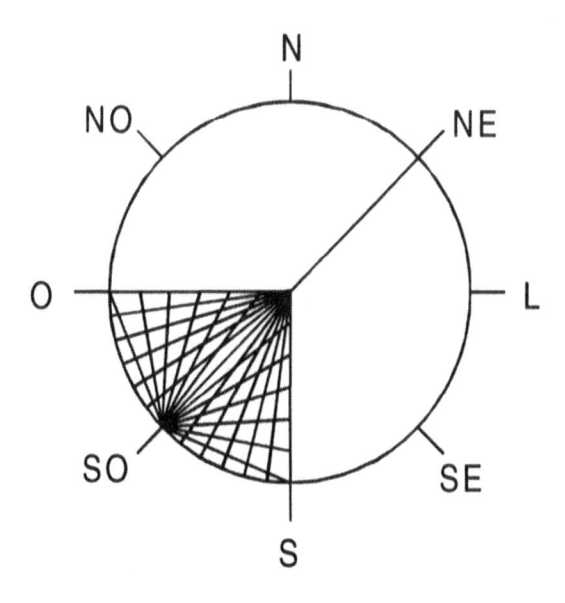

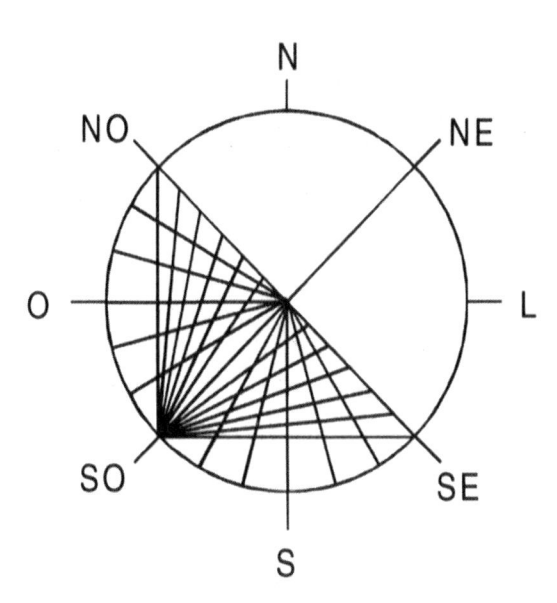

Polo Mágico Oeste

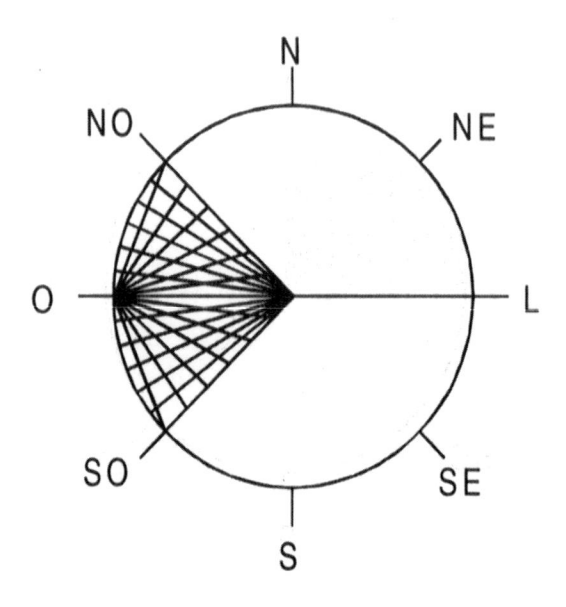

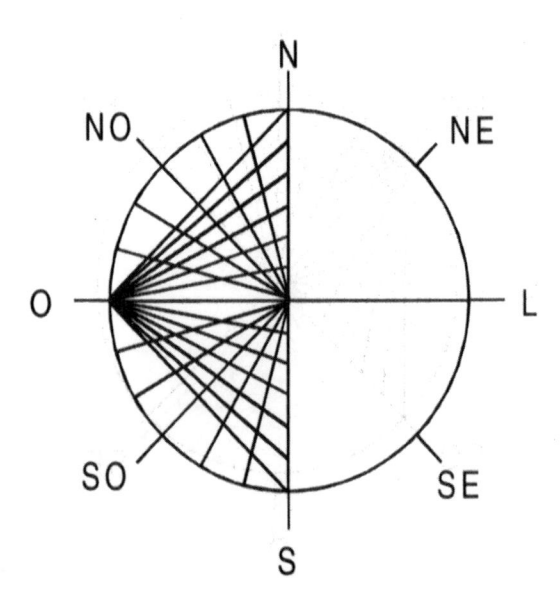

Polo Mágico Noroeste

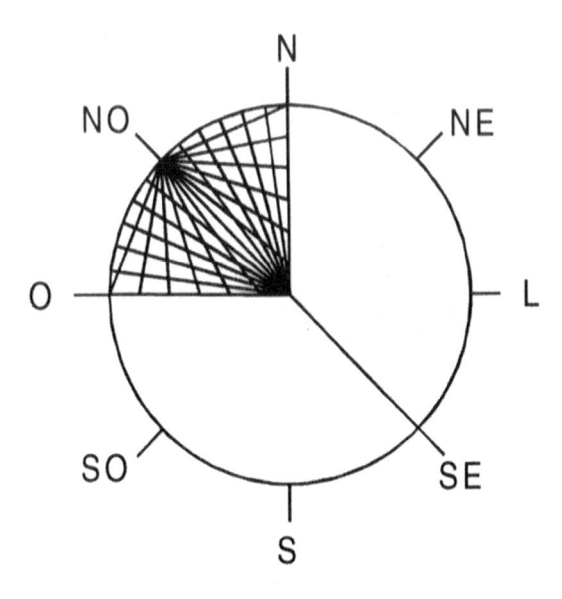

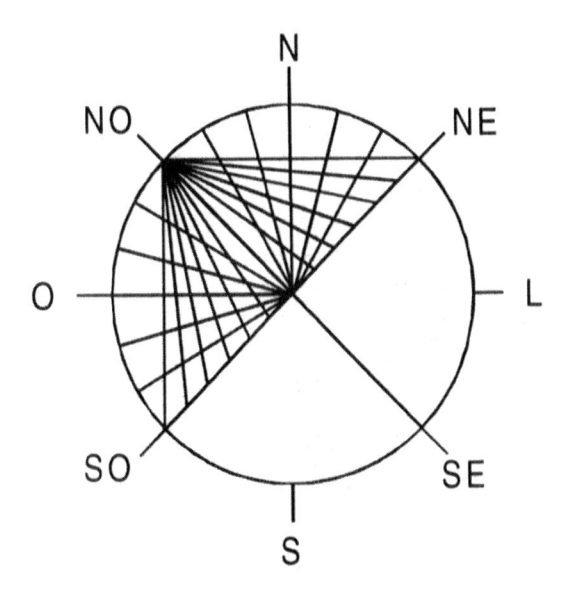

Agora vamos às ondas teúrgicas.

POLO TEÚRGICO NORTE

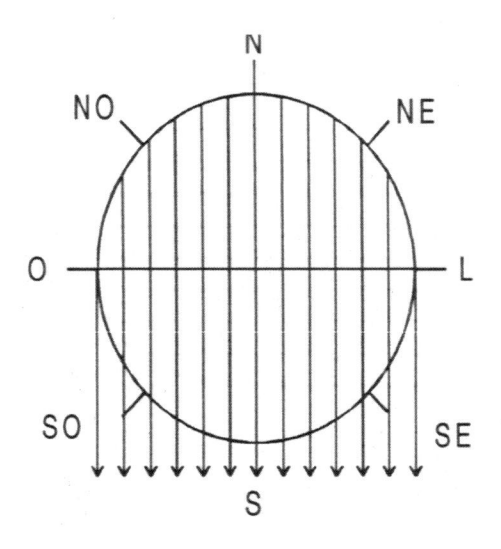

POLO TEÚRGICO NORDESTE

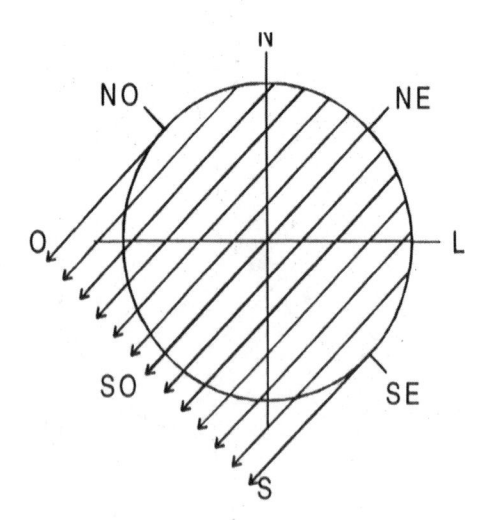

Polo Teúrgico Leste

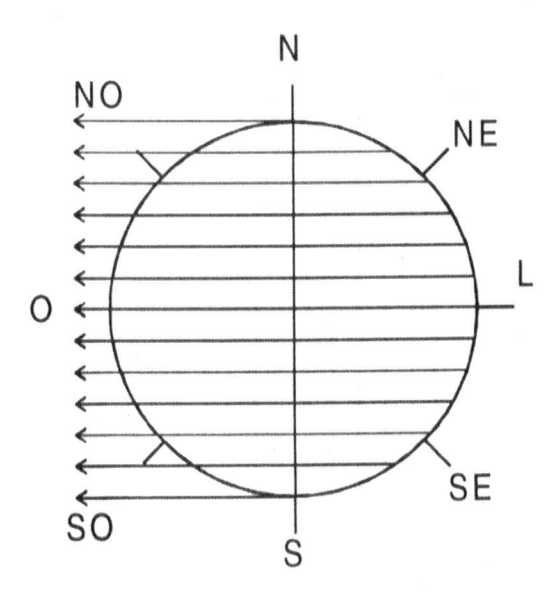

Polo Teúrgico Sudeste

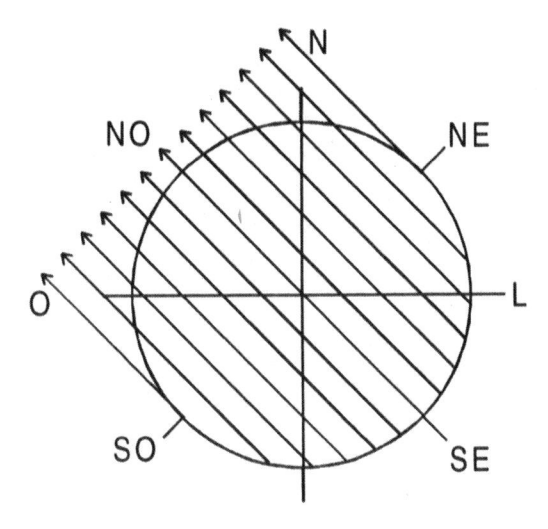

Polo Teúrgico Sul

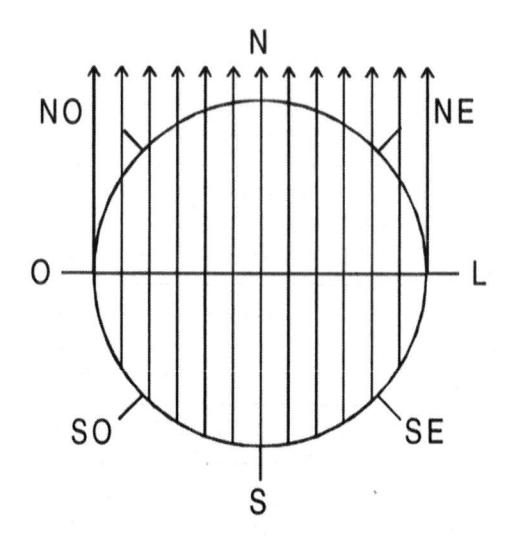

Polo Teúrgico Sudoeste

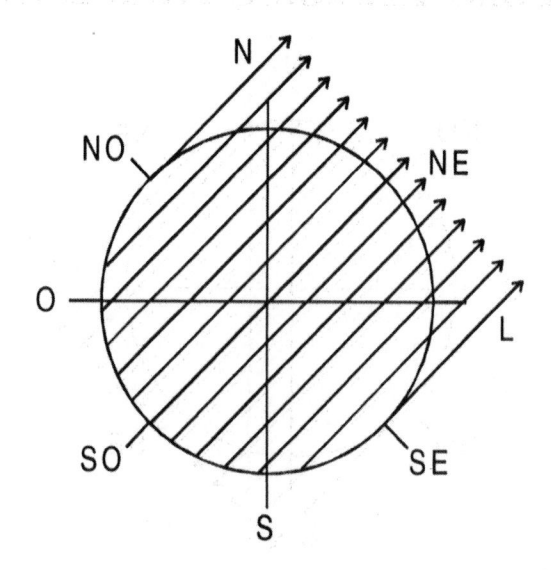

Polo Teúrgico Oeste

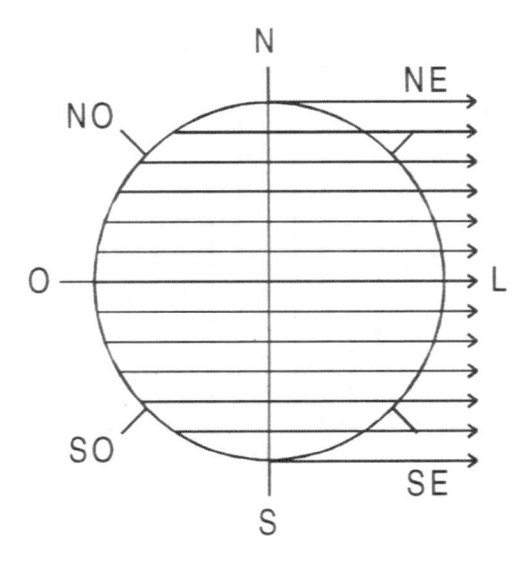

Polo Teúrgico Noroeste

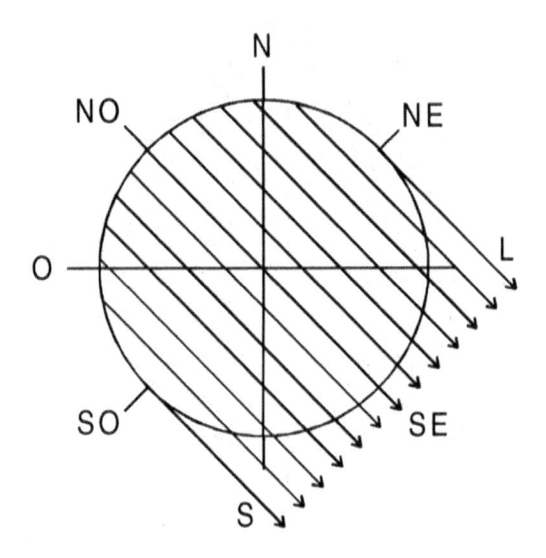

Aí têm os espaços mágicos, com as casas das suas ondas mágicas e teúrgicas, inscritas a partir dois oito pontos cardeais ou polos mágicos, que são polos eletromagnéticos irradiadores, nos quais são firmadas as velas ou são colocados elementos mágicos específicos e afins com os objetivos desejados pelos magos.

O Que São Ondas Vibratórias

Ondas vibratórias são irradiações transportadoras de energias e assemelham-se às ondas de rádio, sendo que cada onda flui de uma forma só sua e não toca em nenhuma outra de outra frequência vibratória.

Existem ondas originárias de fontes vivas (mentais) ou de fontes inanimadas (elementos).

- As fontes vivas emitem, a partir dos mentais, ondas que transportam energias associadas aos sentimentos de quem as está emitindo.
- As fontes inanimadas emitem, a partir dos elementos, ondas que transportam energias associadas aos elementos que as gera.

Como exemplos de ondas vivas temos as pessoas que alimentam suas religiosidades com fortes sentimentos de fé e irradiam mentalmente ondas hipercarregadas de energias específicas de fé.

Como exemplo de fontes inanimadas, temos as pedras minerais, que emitem suas ondas vibratórias hipercarregadas de energias específicas de cada uma delas.

As divindades de Deus são em verdade, mentais planetários divinos e suas vibrações abarcam todo o planeta, alcançando até a estratosfera, envolvendo tudo o que aqui existe e todos os seres, criaturas e espécies que aqui vivem, não deixando nada e ninguém de fora.

Logo, as irradiações mentais das divindades são verdadeiras telas vibratórias e tanto os nossos atos, palavras e pensamentos refletem nelas e ressoam assim que são emitidas por nós, pois vivemos dentro delas.

As divindades são associadas aos sete sentidos da vida e assim surgem sete telas vibratórias planetárias, que são multidimensionais, pois alcançam todas as muitas dimensões, paralelas umas às outras, existentes nesse nosso abençoado planeta terra.

Temos sete telas vibratórias:

- Tela Vibratória da Fé
- Tela Vibratória do Amor
- Tela Vibratória do Conhecimento
- Tela Vibratória da Justiça
- Tela Vibratória da Lei
- Tela Vibratória da Evolução
- Tela Vibratória da Geração

Temos seus sete regentes, que são divindades; pois são em si mentais divinos, que são em si qualidades vivas e puras de Deus.

Então, temos essas sete divindades de Deus:

- Trono da Fé
- Trono do Amor
- Trono do Conhecimento
- Trono da Justiça Divina
- Trono da Lei Maior
- Trono da Evolução
- Trono da Geração

Esses sete Tronos Planetários estão inseridos (dentro) nas telas vibratórias celestiais das divindades estelares ou solares, que por sua vez estão inseridas nas telas vibratórias das divindades regentes das constelações, que estão inseridas nas telas vibratórias das divindades regentes das Galáxias, que por sua vez estão inseridas nas divindades regentes desse nosso Universo.

Com isso, não há quebra de continuidade em nenhum sentido da vida e nas telas vibratórias de Deus, pois a cada nível da sua criação há divindades responsáveis por ele.

E o mesmo ocorre aqui, nesse nosso amado planeta, pois se temos um Trono planetário responsável por tudo o que aqui ocorre, e que é um Trono da fé fatoral, que se deslocou para esse canto do Universo para dar-lhe sua sustentação mental, magnética, energética e vibratória, também há aqui mesmo sete níveis vibratórios positivos e sete negativos. Níveis esses que são horizontais e possuem seus graus magnéticos específicos, todos regidos por divindades assentadas neles desde que esse planeta foi gerado.

E temos também as irradiações verticais, que são ondas vibratórias vivas, emitidas pelas divindades planetárias.

Temos um Trono planetário e seus sete Tronos auxiliares, que são:

- Trono da Fé
- Trono do Amor
- Trono do Conhecimento
- Trono da Justiça

- Trono da Lei
- Trono da Evolução
- Trono da Geração

Todos irradiando suas ondas vibratórias mentais altamente energizadas e que formam as sete telas vibratórias planetárias, onde tudo o que aqui ocorre é refletido e anotado.

Então, temos um Trono Planetário, seus sete auxiliares planetários e os regentes dos níveis vibratórios positivos e negativos.

Mas temos as dimensões verticais paralelas à dimensão humana, que têm seus Tronos regentes, também irradiando suas ondas mentais. E temos também os quatro planos da vida intraplanetários, que são:

- Plano Elemental
- Plano Dual
- Plano Encantado
- Plano Natural (o nosso plano da vida)

São tantas ondas vibratórias vivas dentro desse nosso planeta que é impossível enumerá-las num curto comentário.

Mas se citamos algumas, é porque em magia, quando riscamos uma onda, não importa se evocamos uma divindade por um nome ou por outro, dado a ela por seus adoradores humanos, pois o que interessa que saibam é que acessamos uma mesma onda viva desde o micro até o macro. Desde o ser que será energizado por ela até seu gerador primário: Deus.

A magia riscada traça ondas vibratórias e a mesma onda é encontrada em todos os níveis vibratórios, em todas as dimensões e planos da vida intraplanetárias, assim como é encontrada em todo o universo, em todos os níveis da criação.

Uma onda vibratória ígnea tem o mesmo "modelo" em todos os quadrantes do universo e em todos os níveis da criação de Deus.

O mesmo acontece com todas as outras ondas vibratórias riscadas pelos magos, assim como com os símbolos e signos magísticos.

"Ondas vibratórias são irradiações transportadoras de energias, que podem ser: energias fatorais, essenciais, elementais, duais, encantadas, naturais, celestiais ou divinas".

E temos as ondas não vivas, pois são irradiadas por elementos da própria natureza, seja ela a terrestre ou as das outras dimensões da vida, cada uma emitida num grau e padrão magnético específico seu, para não tocar em nenhuma outra.

Sim, uma onda ígnea elemental não toca em outra onda ígnea natural ou encantada ou dual ou essencial ou fatoral ou celestial ou divina. Mas quando riscamos uma onda ígnea dentro de um espaço mágico, todas elas se condensam dentro dele e todas se irradiam a partir dele, já que um espaço mágico é um polo eletromagnético cujo magnetismo tem o mesmo grau vibratório do mago que o riscou e ativou.

Então temos isto:

Todo espaço mágico riscado por um mago cria em seu interior um magnetismo vibratório análogo ao do magnetismo mental do mago que o riscou e ativou.

Com isto, milhares de espaços mágicos podem ser abertos ao mesmo tempo sem que as ondas vibratórias de um toquem nas ondas dos outros, porque cada um tem seu grau magnético e vibratório específico, análogo ao do mental de quem as ativou.

E o mesmo acontece com as ondas vibratórias emitidas pelos seres, pelas criaturas e pelas espécies animadas e inanimadas.

Cada pessoa emite milhões de ondas vibratórias, dando origem ao que se denomina "aura".

Aura é o conjunto de ondas energéticas irradiadas por seres, por criaturas ou pelas espécies vegetais.

A cor da aura obedece a dois fatores:

1º A energia básica gerada por cada ser.
2º Os sentimentos íntimos alimentados por cada ser.

As auras mais largas ou mais estreitas também obedecem a dois fatores:

1º Magnetismos irradiantes = auras mais largas.
2º Magnetismos concentradores = auras mais estreitas.

Tudo o que se irradia emite ondas vibratórias, transportando suas energias.

Pedras, minerais e vegetais, etc., irradiam-se, e os clarividentes conseguem ver suas auras, tal como veem as das pessoas.

Portanto, ondas vibratórias são irradiações provenientes de Deus, das Divindades, dos seres, das criaturas e das espécies.

Os Níveis Vibratórios Inscritos no Espaço Mágico

As ondas vibratórias não se multiplicam de forma aleatória dentro dos espaços mágicos, porque seguem as irradiações verticais, horizontais e inclinadas das divindades.

Elas têm posições bem definidas e obedecem à disposição dos oito polos mágicos inscritos nos círculos, sendo que se multiplicam em sete ondas passivas e sete ondas ativas.

Vamos mostrar graficamente estas multiplicações, pois só assim entenderão corretamente como tudo acontece:

Estas posições e suas multiplicações não precisam ser traçadas nos espaços mágicos porque se multiplicam naturalmente no plano espiritual, que é onde tudo acontece.

Multiplicação das Ondas Vibratórias Verticais

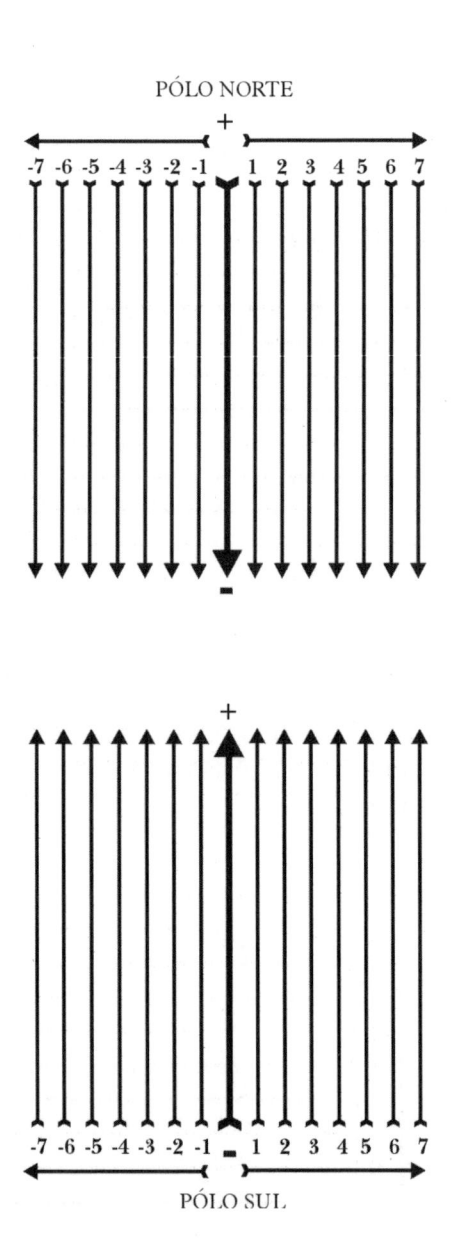

PÓLO NORTE

PÓLO SUL

Multiplicação das Ondas Vibratórias Horizontais

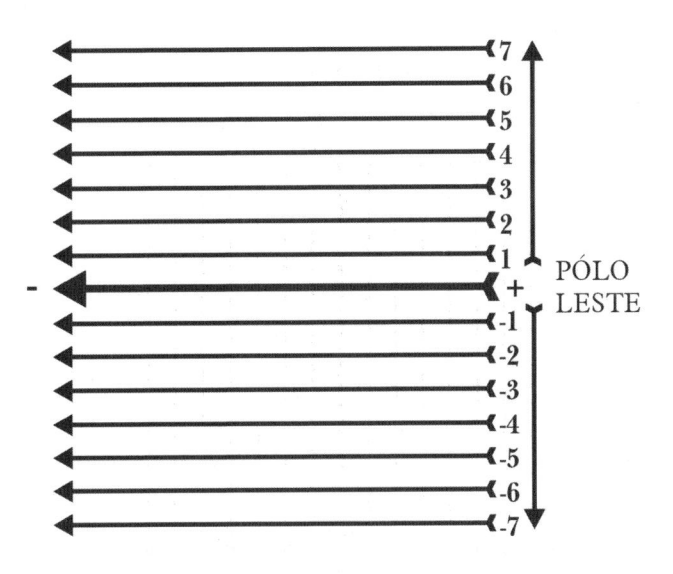

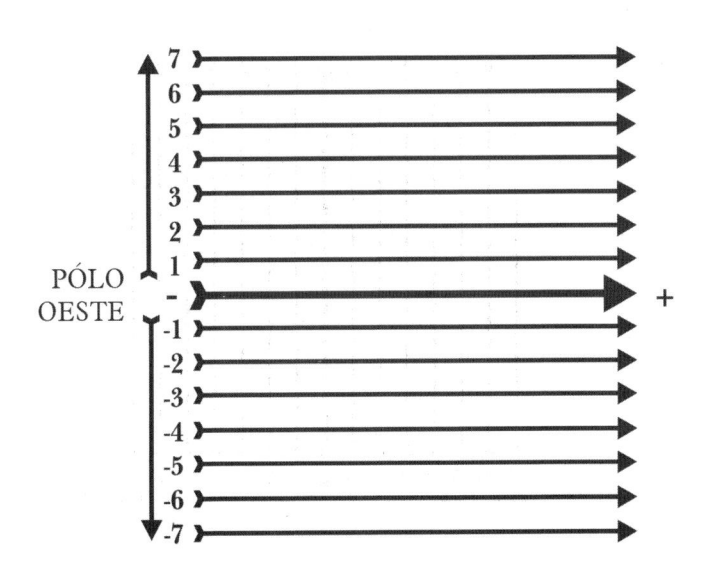

Multiplicação das Ondas Vibratórias Inclinadas

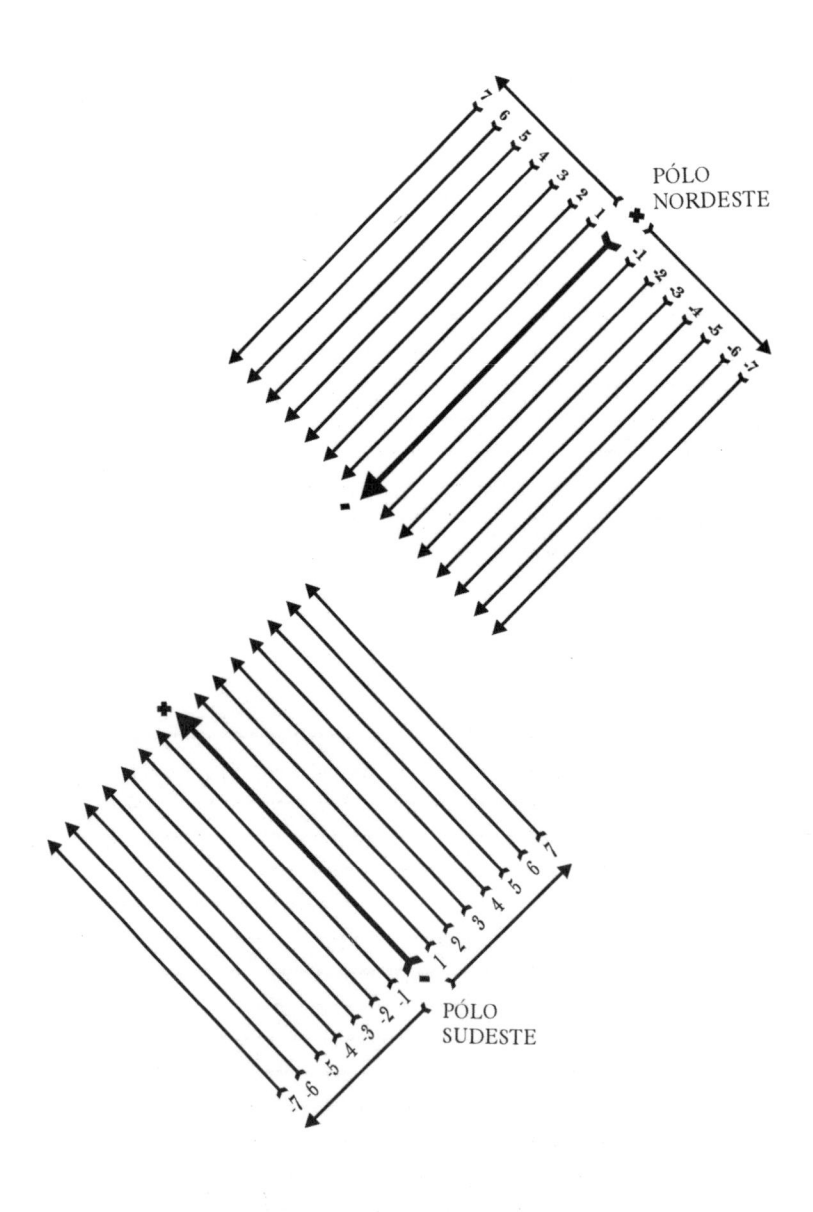

Multiplicação das Ondas Vibratórias Inclinadas

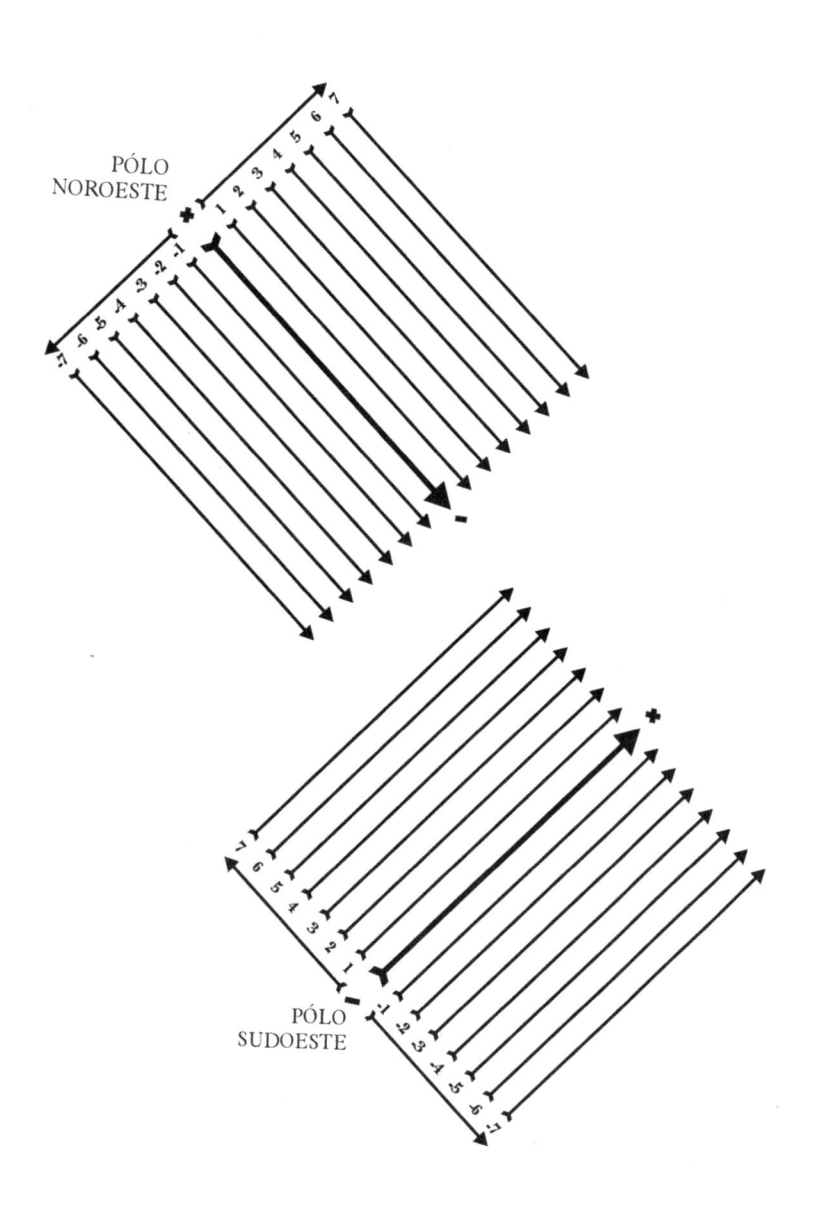

Risca-se apenas uma e, seguindo a mesma posição e sentido irradiante, a multiplicação é instantânea. Caso ativarmos as oito posições cardeais ou polos mágicos, teremos isto: um espaço mágico cortado em todos os sentidos por ondas vibratórias. Vejam-no a seguir:

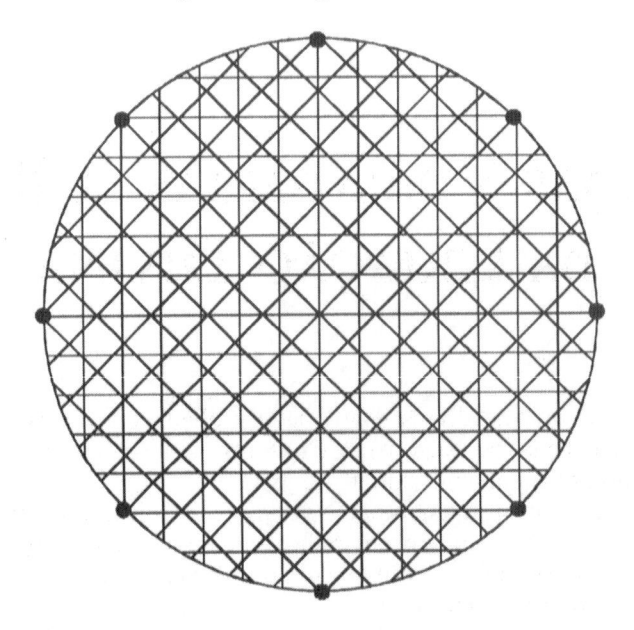

Saibam que cada onda vibra num grau vibratório análogo ao da faixa por onde ela flui.

Isto significa que, se uma onda polarizada ou cardeal tem uma vibração e magnetismo análogos aos de quem a riscou, as suas sete multiplicações acima e abaixo se multiplicarão com a mesma vibração e magnetismo das faixas por onde fluirão.

As ondas polarizadas ou cardeais ou ondas inscritas nos espaços mágicos sempre terão a mesma vibração e magnetismo de quem as traçar, pois ali estará a "individualização" de uma mandala, cabala ou ponto mágico. Fato este que não permite que espaços mágicos inscritos "iguais" se toquem ou interajam entre si, criando um caos magístico.

ONDAS VIBRATÓRIAS, A BASE DA CRIAÇÃO DIVINA

Tudo na criação divina é ordenado e obedece a ondas vibratórias imutáveis emanadas por Deus e que dão forma a tudo o que existe no plano material, no espiritual e nas dimensões paralelas.

A ciência construiu um modelo geral para explicar os átomos, mas se um dia conseguirem construir aparelhos que mostrem as estruturas particulares de cada um deles, verão que o átomo de carbono não é igual ao de mercúrio, ou do irídio, etc.

Cada átomo tem sua estrutura e, se fosse possível visualizá-las a olho nu, veríamos formas fascinantes, e que obedecem aos seus magnetismos nucleares, cada um diferente de todos os outros.

Essa geometria divina surge em função das ondas vibratórias etéricas, mistério este somente agora aberto ao conhecimento do plano material mas que futuramente auxiliará a compreensão da forma como Deus gera e multiplica Sua criação!

Já comentamos em outros livros de nossa outoria[1] que todos somos gerados por Deus e magnetizados numa de Suas ondas fatorais, que são regidas por Suas divindades, das quais nos tornamos herdeiros naturais, pois herdamos Suas características básicas.

Também já dissemos que são os fatores que definem a natureza das pessoas e suas características mais marcantes.

Assim como já comentamos que as ondas vibratórias dão forma a tudo o que existe, pois Deus gera o tempo todo, e tudo é gerado em Suas emanações ou ondas vivas divinas, as quais estão na origem de tudo o que Ele gera.

Já descrevemos como uma onda fatoral vai fluindo e magnetiza-se ao cruzar com outra, e ambas tornam-se ondas fatorais magnetizadas, capazes de gerar essências..., etc.

---
1. *Orixás Ancestrais – A Androgenesia Divina dos Seres.*

Já descrevemos que todas as divindades têm suas estrelas vivas, capazes de emitir ondas vivas que se ligam ao mental dos seres, abrindo ou fechando suas faculdades mentais.

Muitas outras coisas já comentamos e não vamos nos repetir aqui. Apenas queremos que cada um por si, e usando sua faculdade visual, comece a descobrir que uma mesma onda vibratória ordena a formação de uma gema preciosa, de uma flor ou de um órgão do corpo humano e um tipo de irradiação que emitimos quando vibramos um sentimento.

Tudo mantém uma correspondência analógica, e ao bom observador, a onda coronal dá forma às maçãs. Veremos que a associação entre a maçã e o amor não é casual, pois as ondas femininas emitidas pelo chacra cardíaco têm uma estrutura coronal ou a forma de corações que se projetam na direção do ser amado.

Até os nossos sentimentos possuem uma estrutura ou forma ao serem projetados. O amor de uma mãe pelo seu filho tem sua forma, que é a conchóide ou forma de uma concha.

Uma pessoa encolerizada emite ondas simples, rubras. Já uma pessoa equilibrada emite ondas raiadas duplas e de cor alaranjada, acalmando quem as absorver.

Observem um rubi, um diamante e uma ametista e verão alguns sólidos palpáveis que mantêm a estrutura das ondas projetadas pelos Tronos.

Sim, o crescimento dessas gemas obedece aos magnetismos e às formas sólidas que as ondas vibratórias projetadas por eles criam, quando se concretizam na matéria.

Essas ondas têm formas bem definidas e, assim que se polarizam, criam magnetismos muito bem definidos, que podemos visualizar nas gemas preciosas, nos frutos, nas folhas, nos movimentos dos animais, etc.

Ondas vibratórias estão em tudo, seja físico, material ou mental.

A natureza física é a concretização dos muitos tipos de ondas.

- Fé possui suas ondas congregadoras;
- Amor possui suas ondas agregadoras;
- Conhecimento possui suas ondas expansoras;
- Razão possui suas ondas equilibradoras;
- Lei possui suas ondas ordenadoras;
- Evolução possui suas ondas transmutadoras;
- Geração possui suas ondas criativas.

Cada onda possui seu fator, sua essência, seu elemento, sua energia e sua matéria, que mostram como ela flui, dando origem a tudo e a tudo energizando ou desdobrando "geneticamente".

Nada existe se não estiver calcado em uma ou várias ondas vibratórias.

Sim, às vezes podemos ver numa mesma planta vários tipos de ondas vibratórias, pois é preciso a junção de várias para que uma gênese se desdobre e dê origem a coisas concretas e palpáveis aos nossos órgãos físicos, os quais também obedecem a ondas sensoriais, e são a concretização dos nossos órgãos dos sentidos, que são a materialização dos sentidos da Vida que herdamos do nosso Divino Criador.

Os símbolos religiosos são a afixação de ondas vibratórias, e assumem aparências que nos concentram, elevam e direcionam;

Os signos são "pedaços" das formas que os magnetismos assumem quando as ondas que os geram são polarizadas ou se entrecruzam;

A magia riscada é a afixação mágica de ondas vibratórias ou de signos, que são riscados, potencializados e ativados pelos magistas autorizados a fazê-lo;

O pensamento projeta ondas e as ideias são a concretização do pensamento, que assume uma forma bem definida e possível de ser descrita.

Na criação divina, tudo vibra, pulsa ou se irradia. Nada é de fato imóvel ou estático, apenas se mostra no estado de repouso.

A onda vibratória cristalina nasce em Deus, que a emana viva, geradora e criadora, e é nessa onda que nossa fé é fortalecida ou que um quartzo é gerado na natureza.

Essa onda vibratória cristalina flui num padrão próprio por toda a criação divina, e tudo o que for gerado no seu padrão a tem como sustentadora.

Ao nos afinizarmos com Deus e suas divindades através da fé, esta afinização ocorre através dessa onda vibratória cristalina, que é congregadora.

Se a afinização acontecer por meio do amor, então ela ocorrerá através da onda vibratória mineral, que é agregadora.

O sentimento de fé, nós o irradiamos pela mente, ou através do chacra coronal (de coroa);

O sentimento de amor, nós o irradiamos pelo coração, ou através do chacra cardíaco (de coração).

A mesma onda viva cristalina emanada por Deus, nós a vemos nas irradiações dos Tronos da Fé.

A mesma onda viva mineral emanada por Deus, nós a vemos nas irradiações dos Tronos do Amor.

Enfim, as ondas vibratórias mantêm suas formas ainda que sofram transmutações desde o momento em que são emanadas por Deus, pois se destinam a aspectos diferentes de uma mesma coisa, seja ela agregadora ou congregadora, expansora ou ordenadora.

A própria estrutura do "pensamento" obedece às ondas vibratórias e, caso alguém tenha sido magnetizado numa onda cristalina, a estrutura do seu pensamento será religiosa. Mas se a sua magnetização ocorreu numa onda mineral, então a estrutura do seu pensamento será conceptiva.

As estruturas do pensamento são estas:

— Estrutura Cristalina
— Estrutura Mineral

— Estrutura Vegetal
— Estrutura Ígnea
— Estrutura Eólica
— Estrutura Telúrica
— Estrutura Aquática

O pensamento com estrutura cristalina pertence a pessoas cuja alma é congregadora e seu campo vocacional é o religioso;

O pensamento com estrutura mineral pertence a pessoas cuja alma é agregadora e seu campo vocacional é o conceptivo;

O pensamento com estrutura vegetal pertence a pessoas cuja alma é expansora e seu campo vocacional é o conhecimento;

O pensamento com estrutura ígnea pertence a pessoas cuja alma é racionalista e seu campo vocacional é o equilibrador;

O pensamento com estrutura eólica pertence a pessoas cuja alma é direcionadora e seu campo vocacional é o ordenador;

O pensamento com estrutura telúrica pertence a pessoas cuja alma é transmutadora e seu campo vocacional é o evolutivo;

O pensamento com estrutura aquática pertence a pessoas cuja alma é geradora e seu campo vocacional é o criativo.

Dependendo da estrutura do pensamento de uma pessoa, se ela estiver fora do seu campo vocacional, será vista como pouco hábil, pouco capacitada ou inapta. Mas se isto ocorre, é justamente porque sua atividade não encontra ressonância em sua alma e seu pensamento não consegue lidar naturalmente com os processos inerentes a uma atividade fora do seu campo vocacional.

Muitos entendem as dificuldades vocacionais como introversão, timidez ou insegurança. Mas a verdade resume-se a isto: não estão realizando atividades afins com a estrutura dos seus pensamentos.

Saibam que se uma pessoa tem vocação religiosa, é porque seu pensamento foi estruturado pelo magnetismo cristalino. Esta pessoa capta com facilidade as ondas vibratórias cristalinas que fluem à sua volta e as coisas religiosas são o seu "alimento" emocional. Mas se essa não é a estrutura do seu pensamento, então as coisas religiosas são enfadonhas, cansativas ou desinteressantes.

Atentem bem para isto e descobrirão em si mesmos a estrutura do vosso pensamento.

Este tem sido o embate dos pensadores humanos: uns tentando predominar sobre os outros ou invalidá-los, julgando-se indispensáveis ou os outros, dispensáveis.

Pensadores religiosos julgam perniciosa a criatividade de vanguarda dos artistas (criativos), e estes julgam aqueles, os culpados da paralisia da criatividade humana.

Mas o fato é que há sete estruturas básicas de pensamentos, e são tão visíveis, que só não as vê quem não quer.

Na face da Terra, há uma estrutura do pensamento que é religiosa, e ela se destaca em todas as religiões, fato este que torna todos os religiosos, congregadores ímpares;

Há uma estrutura conceptiva que iguala todos os conceptores, seja através dos pares matrimoniais ou ideólogos que concebem ideias agregadoras de enormes contingentes humanos;

Há uma estrutura do raciocínio, fato este que iguala os professores, os cientistas e os pesquisadores, expansores natos do conhecimento humano;

Há uma estrutura da razão, fato este que iguala a justiça e seus métodos de equilibrar opiniões contrárias, seja aqui ou no outro lado do planeta;

Há uma estrutura ordenadora que, mesmo em culturas diferentes, sempre se mostra parecida.

Há uma estrutura evolutiva, fato este que se mostra no macro, através dos povos que transmutam valores e conceitos e os difunde para o resto do mundo, alterando valores já arcaicos. Ou pode ser visto no micro, nas pessoas dotadas de uma capacidade ímpar para transmutar os sentimentos dos que vivem a sua volta;

Há uma estrutura geradora, fato este que proporciona às pessoas os recursos íntimos necessários à sua adaptação aos meios mais adversos, pois dota-as de um criacionismo maleável como a própria água.

Não importa se alguém é juiz de direito, juiz de paz ou juiz de futebol, na essência, a estrutura de seus pensamentos é equilibradora e todos atuam no sentido de dirimir dúvidas e equilibrar as partes em litígio.

Não importa se alguém é padre, rabino ou babalorixá, todos se dedicam a doutrinar religiosamente seus fiéis e a dar-lhes o amparo religioso.

Não importa se alguém é professor de música, de física ou de esgrima, todos se dedicam a ensinar seus semelhantes, expandindo suas faculdades mentais e estimulando o aprendizado, objetivo primeiro da estrutura "vegetal" do pensamento.

Todas as estruturas individuais de pensamento são sustentadas pelas estruturas divinas formadas por ondas vibratórias que fluem por toda a criação.

Essas macroestruturas do pensamento dão sustentação às estruturas individuais, e nós as denominamos de "irradiações divinas".

— a irradiação da Fé flui através das suas ondas vibratórias cristalinas, às quais as pessoas atraem sempre que vibram sentimentos religiosos, fortalecendo-se nesse sentido da Vida;
— a irradiação do Amor flui através das suas ondas vibratórias minerais, às quais as pessoas atraem sempre que vibram sentimentos conceptivos, crescendo nesse sentido da Vida;
— a irradiação do Conhecimento flui através das suas ondas vibratórias vegetais, às quais as pessoas atraem sempre que se voltam para o aprendizado e o aguçamento do raciocínio, expandindo-se nesse sentido da Vida;

— a irradiação da Justiça flui através das suas ondas vibratórias ígneas, às quais as pessoas atraem sempre que se racionalizam, equilibrando-se nesse sentido da Vida;
— a irradiação da Lei flui através de suas ondas vibratórias eólicas, às quais as pessoas atraem sempre que se direcionam numa senda reta, ordenando-se nesse sentido da Vida;
— a irradiação da Evolução flui através de suas ondas vibratórias telúricas, às quais as pessoas atraem sempre que se transmutam com sabedoria, estabilizando-se nesse sentido da Vida;
— a irradiação da Geração flui através de suas ondas vibratórias aquáticas, às quais as pessoas atraem sempre que preservam a vida no seu todo ou nas suas partes, conscientizando-se nesse sentido da Vida.

São sete emanações de Deus, sete irradiações divinas, sete ondas vivas geradoras de energias divinas, sete fatores, sete ondas magnetizadoras fatorais, sete essências, sete sentidos da Vida, sete estruturas de pensamentos, sete vias evolutivas, etc.

São, também, sete estruturas geométricas, que dão formação às gemas, divididas em sistemas de crescimento:

— Sistema Isométrico
— Sistema Tetragonal
— Sistema Hexagonal
— Sistema Trigonal
— Sistema Ortorrômbico
— Sistema Monoclínico
— Sistema Triclínico

Saibam que estas sete estruturas de crescimento das gemas obedecem ao magnetismo das sete irradiações divinas.

Mas se procurarmos as sete ondas vibratórias, nós as encontraremos nas frutas, tais como:

— Maçã
— Pera
— Carambola
— Melancia
— Laranja
— Manga
— Abacaxi

Também podemos encontrá-las nos tipos de caules das árvores, nos tipos de folhas, nos tipos de ervas, etc.

É certo que muitas coisas são mistas ou compostas, precisando do concurso de duas, três... ou sete ondas vibratórias para ter sua forma definida. Mas o fato é que são as ondas vibratórias que delineiam e definem as formas das coisas criadas por Deus, e que são regidas por suas divindades unigênitas: os Tronos. Temos:

— Tronos da Fé, ou cristalinos;
— Tronos do Amor, ou conceptivos;
— Tronos do Conhecimento, ou expansores;
— Tronos da Justiça, ou equilibradores;
— Tronos da Lei, ou ordenadores;
— Tronos da Evolução, ou transmutadores;
— Tronos da Geração, ou criacionistas.

Congregação, agregação, expansão, equilíbrio, ordenação, transmutação e criatividade, eis a base da Gênese Divina e eis aí os recursos que temos à nossa disposição para vivermos em paz e harmonia com o todo, que é Deus concretizado no Seu corpo divino: o universo visível, palpável e sensível.

Só não crê nisso quem não consegue vê-Lo em si mesmo: uma obra divina impossível de ser concebida por uma mente humana!

Os Símbolos e os Signos Mágicos

Os símbolos mágicos são a inscrição de polos eletromagnéticos das divindades e podemos ver neles as formas como os seus magnetismos mentais se irradiam.

Um símbolo é tão poderoso quanto a divindade que o rege e, após a sua inscrição e ativação dentro de um espaço mágico, ele adquire a capacidade de realizar coisas que somente a divindade é capaz.

Adiante vocês terão os pontos riscados, os símbolos, os signos e as mandalas dos Tronos. E verão que todos os desenhos que formam obedecem às suas ondas vibratórias e têm a mesma forma.

Nós, às vezes, inscrevemos num mesmo espaço mágico várias ondas, símbolos e signos, pertencentes a diferentes divindades.

Ao fazermos isto, estamos tornando-o mais abrangente e capaz de realizar coisas diferentes para as pessoas que forem beneficiadas pela magia que inscrevermos.

Os signos são pequenos pedaços das ondas vibratórias das divindades, e que crescerão e se multiplicarão na posição ou direção que forem inscritos, dispensando a inscrição de uma onda completa.

Nós vemos nos talismãs, pantáculos, medalhões, etc., certos símbolos, signos e ondas vibratórias, desconhecendo-se quem confeccionou tais apetrechos magísticos e protetores.

Se são desconhecidos, é porque o mistério das ondas vibratórias das divindades, dos seus símbolos sagrados e dos seus signos mágicos somente agora está sendo aberto e ensinado no plano material por nós.

Mas, esperamos que todas as pessoas que sintam atração pela magia ou pela simbologia tenham um manancial de informações e possam identificar os símbolos e signos já usados há muito tempo pelos magos e teurgos, ainda que estes não tivessem esses fundamentos da magia inscrita ou riscada.

Saibam que também existem as magias astrológica, numerológica e "verbal" ou sonora, que podem ser inscritas nos espaços mágicos, mas não ensinaremos aqui os seus fundamentos.

No entanto, se observarem os livros de magia inscrita ou de pontos riscados, verão signos astrológicos, números e letras de línguas muito antigas, algumas já extintas, e que formam belíssimos talismãs ou pentáculos mágicos, ainda que quem os confeccione não tenha o conhecimento fundamental acerca do que está inscrito neles.

Apenas sabem que tais traços mágicos funcionam como protetores ou para-raios de energias negativas inanimadas, pois para as animadas (seres ou criaturas) esses talismãs ou pentáculos são inócuos, não passando de adereços.

E, ainda assim, apenas são anuladores das ondas vibratórias a que pertencem, pois elas ligam-se aos seus signos ou símbolos derivados e ali, no talismã ou pentáculo, criam um campo eletromagnético repelidor de ondas vibratórias negativas atraídas por elas.

Mas, como uma onda vibratória positiva não anula todas as ondas vibratórias negativas existentes, mas sim só algumas, então a eficácia dos talismãs e pentáculos também não é total ou abrangente de todo o espectro energético ou magístico que transita através do espaço etérico à volta das pessoas.

As Ondas Vibratórias e os Fatores de Deus

As ondas vibratórias das divindades obedecem aos fatores de Deus gerados por elas e aos seus elementos.

Nós classificamos as divindades através dos seus fatores e seus elementos ou energias.

Então temos:
Divindades Eólicas Puras
Divindades Telúricas Puras
Divindades Aquáticas Puras
Divindades Ígneas Puras
Divindades Vegetais Puras
Divindades Minerais Puras
Divindades Cristalinas Puras

E Temos:
Fatores Eólicos Puros
Fatores Telúricos Puros
Fatores Aquáticos Puros
Fatores Ígneos Puros
Fatores Vegetais Puros
Fatores Minerais Puros
Fatores Cristalinos Puros

Mas também temos divindades bielementais e bifatorais, sendo que, por serem bipolares, num polo o elemento ou fator é ativo e no outro, é passivo.

Por passivo, não entendam como inoperante e sim como magnetismos que se irradiam através de ondas retas ou temporais.

Por ativo, não entendam como operantes, e sim como magnetismos que se irradiam através de ondas curvas, pontuais, serrilhadas, raiadas, espiraladas, entrelaçadas, etc., ou atemporais.

Cada onda vibratória obedece a um fator de Deus e tem na sua forma peculiar um meio só seu de transportar uma energia análoga a do fator que a distingue.

Assim, se temos um fator direcionador, também temos ondas direcionadoras. E se temos um fator evolutivo, também temos ondas evolutivas.

Para que entendam bem esta peculiaridade das ondas vibratórias, dos símbolos sagrados e dos signos mágicos, daremos a seguir explicações recorrendo ao capítulo "Os Fatores de Deus".

Os Fatores de Deus

As dimensões paralelas à dimensão humana são muitas, e todas estão dentro de um único grau magnético da escala divina. Se são paralelas à dimensão humana, é porque adotamos a terra como o centro do nosso universo físico. Se alguém souber onde fica o centro do universo e como chegar até ele, por favor, não faça segredo disso, pois desejamos conhecê-lo! Afinal, para nós o centro do universo está em Deus.

E se Deus está em nós e no nosso planeta, e Ele está, então para nós aqui é o centro do "nosso" universo e nosso ponto de referência para conhecê-Lo, entendê-Lo e explicá-Lo, já a partir de nossa capacidade intelectual "humana".

Então vamos nos aprofundar no mistério da gênese que criou o nosso universo físico e suas muitas dimensões da Vida, todas em paralelo umas com as outras, e todas infinitas em si, pois ninguém conseguiu achar o começo ou o fim delas ou dos seus níveis vibratórios infinitos em si mesmos.

Saibam que uma das causas da falta de religiosidade das pessoas são as gêneses "humanas" da criação divina.

Elas são limitadíssimas e muito direcionadas para as coisas humanas. Logo, não retratam a origem das coisas senão a partir de fatos mirabolantes, espantosos ou imaginários.

Mas nós sabemos que a criação divina é simples porque Deus Se repete e Se multiplica o tempo todo.

Afinal, a origem de uma pedra é a mesma de uma pedreira. A de um monte é a mesma de uma montanha. A de uma árvore é a mesma de uma floresta. A de uma molécula de água é a mesma de um oceano, etc.

Sim, porque o mesmo magnetismo que ligou o hidrogênio e o oxigênio, dando origem a uma molécula de água, é o responsável pela união de muitas delas, que deram origem aos oceanos.

O mesmo magnetismo atua tanto no micro quanto no macro, e tanto deu origem a uma molécula de água quanto a um oceano.

A este magnetismo nós damos o nome "imanência divina" ou "fator agregador".

Deus tem duas faces. Uma é interna e é geradora e a outra é externa e é imanente.

Na Sua imanência, Ele está em tudo o que existe, pois se um átomo é minúsculo, no entanto é a imanência divina que chamamos de "fator" agregador que o faz ser como é e o mantém em equilíbrio, que somente é rompido pela ação de uma força superior à sua.

A mesma imanência divina que dá forma e estabilidade a um átomo dá forma e estabilidade ao nosso sistema solar, a uma constelação, galáxia, etc.

Esta imanência agrega, formatiza e estabiliza todas as coisas porque ela é agregadora. Ela é encontrada em nós na própria forma do nosso corpo carnal ou espiritual. Mas, num nível imaterial, nós a encontramos nas ideias, pois uma ideia apenas está completa se todos os seus componentes forem se agregando e formando-a.

Para entenderem o que queremos dizer com "ideia", vamos recorrer a um procedimento banal como o ato de comer.

Se alguém nos convida para almoçar em sua casa, imediatamente nos ocorre que o ato de almoçar implica num horário, num comportamento e na ingestão dos vários alimentos postos à mesa.

Esta é a ideia que temos de um "almoço".

Mas se alguém nos convidar para pescar, teremos outra ideia, já que pescar implica em outros "procedimentos".

Ideia é isto: um conjunto de pensamentos que formam um todo que define uma coisa, um ato, uma substância, etc.

A imanência vai agregando os componentes e chegamos a um ponto em que tudo já foi pensado, definido e formatizado. Daí em diante já não precisamos repensar o que seja o ato de almoçar ou de pescar, porque a ideia que temos já está formada em nossa mente.

Imanência é magnetismo, que imanta as partes que formam uma coisa definida por si mesma.

Se falamos "fogo!", todos nos entendem porque têm uma "ideia" do que seja fogo. Mas se dissermos "gofo!", ninguém nos entenderá e ficarão curiosos. Mas se explicarmos que "gofo" é um anagrama de fogo, aí ficamos sabendo o que é, e quando ouvirmos alguém falar esta palavra já temos um modo de responder, porque temos uma ideia do que seja ou signifique "gofo".

A imanência agrega sílabas dispersas e dá forma a um termo, a uma palavra ou a uma ideia, que são coisas imateriais e pertencem ao campo do pensamento. E este tem no fator agregador a imanência que dá forma às coisas, as define e nos permite ter uma ideia definitiva de alguma coisa.

A imanência está em tudo, e de agregação em agregação, Deus criou tudo o que existe.

Então, temos na imanência divina um fator agregador ou um "fator de Deus".

A Onipresença é outro "fator de Deus", porque é a presença d'Ele em tudo o que existe.

A Onisciência é outro "fator de Deus", pois se tudo está n'Ele, então de tudo Ele tem ciência.

Então, chegamos à raiz da gênese divina, pois ela tem início nos "fatores de Deus", ou como nós os chamamos: Fatores Divinos!

Os Fatores Divinos

Como dissemos linhas atrás, a imanência agregadora é um fator divino que atua na agregação de partes, que por si só já são definidas, mas que se forem reunidas darão origem a outra coisa, então vemos que na natureza existe um fator divino que dá forma a tudo o que existe. E se tomarmos a substância água, veremos que é a imanência agregadora que liga dois átomos de hidrogênio e oxigênio que dão origem às moléculas de água, que por esta imanência se atraem e formam as gotas, que se atraem e formam os lagos, etc.

Esta mesma imanência atua como fator agregador dos átomos de ferro que, agregados, dão origem ao minério ferro.

A imanência agregadora atua sobre tudo e sobre todos o tempo todo e durante todo o tempo, porque é um fator divino, que visa agregar os "afins" e não permite a agregação dos não afins.

Mas, em todas as coisas, a agregação não ocorre por acaso ou aleatoriamente. E se não ocorre é porque um outro fator divino, que chamamos de "fator ordenador", atua como ordenador das agregações

O fator ordenador atua no sentido de só permitir que aconteçam as ligações preestabelecidas como úteis, equilibradas e aceitas como partes de um todo maior, que no nosso caso é o nosso planeta.

Tudo o que se formar fora de uma ordem preestabelecida é caótico, inútil, nocivo e desequilibrador, tanto no micro quanto no macro.

Então, já temos dois fatores de Deus ou fatores divinos: a agregação e a ordenação.

São fatores que estão na origem das coisas e das espécies.

A imanência agregadora sustenta as ligações dos agregados, e o fator ordenador regula o que está sendo formado, para que não gere coisas caóticas ou espécies deformadas, que seriam inúteis à criação divina, à manutenção da vida e à estabilidade da natureza.

Deus é imanentemente agregador e é ordenador!

Mas, para que a mesma imanência que formou o átomo de hidrogênio e o de oxigênio seja ativada para que se agreguem "ordenadamente" e deem origem à substância água, existe um outro fator divino, que denominamos de fator evolutivo ou transmutador e que atua no sentido de criar as condições ideais para que duas coisas afins se liguem e deem origem a uma outra coisa, já composta e útil à vida.

O fator evolutivo permite a passagem de um estado para outro. Ele é sinônimo de crescimento, pois permite que coisas menores se liguem e deem origem a uma maior. Então átomos passam a formar moléculas, que passam a formar substâncias, que é muito maior e até visível, pois os átomos não eram!

Todas as coisas que podemos ver, tocar, sentir, etc, se forem partidas, perdem suas qualidades, e suas partes (átomos) assumem suas qualidades individuais, consequentemente, a coisa que era visível, palpável e sensível deixa de existir, porque foi desagregada.

Então temos isto: a imanência permite as ligações, a ordenação estabelece a forma como devem acontecer e a evolução direciona as ligações para que continuem acontecendo já em outras condições (estados) e passem a formar novas coisas.

O fator agregador liga.

O fator ordenador regula.

O fator evolutivo cria as condições para que as coisas passem de um estado para outro, onde novas coisas se formam.

Agregação, ordenação e evolução!

Eis aí como a gênese acontece, porque são fatores divinos atuando nela e em tudo o que cria (idealiza) e gera (concebe).

Na agregação, os afins se ligam.

Na ordenação, as ligações somente acontecem se forem equilibradas e atenderem a uma ordem preestabelecida.

Na evolução, são criadas as condições para que novas ligações imanentes ocorram e novas coisas surjam ordenadamente.

A teoria evolucionista diz que as coisas surgiram a partir da agregação de átomos dando origem às moléculas, que deram origem às substâncias. Mas não diz que uma imanência divina preexistente foi estabelecendo as ligações; que um fator ordenador foi descartando as ligações caóticas; e que o fator evolutivo foi criando as condições para que ocorressem novas ligações e surgissem novas "coisas".

Saibam que estes três fatores que citamos são partes da genética divina ou gênese das coisas, e que há muitos outros fatores, tão atuantes quanto fundamentais.

Vamos listar alguns fatores de Deus ou fatores divinos que estão na origem ou gênese:

- Fator Agregador
- Fator Ordenador
- Fator Evolutivo ou Transmutador
- Fator Conceptivo
- Fator Gerador
- Fator Equilibrador
- Fator Racionalizador
- Fator Diluidor
- Fator Desmagnetizador
- Fator Paralisador
- Fator Criacionista
- Fator Transformador
- Fator Energizador
- Fator Desenergizador
- Fator Concentrador
- Fator Expansor, etc.

Estes fatores, e muitos outros, atuam na gênese das coisas e são chamados de irradiações divinas, pois estão em tudo, em todos e em todos os lugares.

Quando um atua, sempre ativa outros, porque, para surgir algo novo, todo um anterior estado das coisas tem que ser paralisado, desenergizado, desmagnetizado e desagregado, senão deformará o que ali vier e ser criado.

Estes fatores divinos estão na origem de tudo. E muitos outros, que sequer imaginamos, porque são fatores compostos ou fatores mistos, atuam sobre nós o tempo todo, ora nos estimulando, ora nos energizando ou nos paralisando, porque estamos nos desarmonizando com o Divino Criador.

Quando nos elevam é porque nossos sentimentos e anseios íntimos são positivos e virtuosos. Já quando são negativos, aí absorvemos fatores que visam alterar nossa consciência e sentimentos íntimos negativados por pensamentos viciados.

Então, temos fatores passivos e ativos ou positivos e negativos.

Os fatores ativos vão nos incomodando ou estimulando até que criamos em nós as condições para nos transformarmos, desagregando velhos conceitos e iniciando a busca de novos, já em acordo com nossos anseios.

Saibam que os elementos e as energias são os meios pelos quais absorvemos os fatores divinos, já que são tão sutis que se não for assim não temos como retê-los em nosso denso magnetismo mental.

Junto dos elementos ou energias, estamos absorvendo-os, internalizando-os e agregando-os ao nosso magnetismo, que pouco a pouco vai se imantando (ou fatorando) e adquirindo um padrão vibratório afim com nossa natureza íntima. Sim, porque todo ser tem sua natureza individual, e em alguns ela é aquática, em outros é ígnea, em outros é telúrica, etc.

Saibam que o mistério "fatores divinos" está na origem de tudo, inclusive das hierarquias de Deus, que são as divindades.

As divindades "geram" energias fatoradas, porque absorvem direto de Deus imensas quantidades de fatores divinos. Depois, irradiam-nos, também em grandes quantidades, mas já adaptados aos seus padrões magnéticos, energéticos e vibratórios.

Estas energias fatoradas se distinguem umas das outras e, se estamos evoluindo sob a irradiação de uma divindade, então nossa natureza individual se imantará com o fator energético da "nossa divindade pessoal" e, com o passar do tempo, assumimos atitudes semelhantes à dela, que é a regente (energizadora) do nosso mental.

Nos fatores encontramos a nossa gênese e identificamos por qual deles fomos imantados quando ainda vivíamos no útero divino da "mãe geradora da vida", pois é nele que somos distinguidos por Deus com uma de suas características genéticas divinas.

Sim, todos nós somos herdeiros de uma "qualidade" de Deus, já que Ele possui todas, mas nós só estávamos aptos a ser distinguidos por uma.

Mas, como Deus é único em tudo o que gera e também em suas qualidades, então a que herdamos é divina, infinita, abrangente e inesgotável em recursos e faculdades derivadas ou qualificativas.

Assim, se em nossa origem fomos distinguidos por Deus com uma de suas qualidades, ela nos influenciará em todos os aspectos de nossa vida.

Nós destacamos sete qualidades de Deus e, trazendo-as ao nosso nível terra, identificamo-las com os sete sentidos da vida.

As qualidades são estas:

- Fé
- Amor
- Conhecimento
- Justiça
- Ordem
- Evolução
- Geração

As hierarquias divinas geradoras dos fatores que imantam estas qualidades divinas, já em nosso grau magnético planetário, nós identificamos com a hierarquia dos "Tronos" de Deus.

Então temos sete Tronos de Deus, que são:

- O Trono da Fé.
- O Trono do Amor.
- O Trono do Conhecimento.
- O Trono da Justiça.
- O Trono da Lei.
- O Trono da Evolução.
- O Trono da Geração.

Estes sete Tronos formam um colegiado ou uma coroa divina, na qual estão assentados ao "redor" do Trono Planetário, que é uma individualização do próprio Divino Criador.

Este divino Trono Planetário traz em si todas as qualidades de Deus, já adaptadas ao nosso grau magnético dentro da escala divina e reproduz a nível planetário uma escala só sua, que por ser divina, formou o magnetismo que desencadeou todo o processo de geração do nosso planeta terra.

Sim, porque este planeta não surgiu do nada ou por acaso. Ele antes foi pensado por Deus e somente teve início assim que este pensamento divino manifestou-se através de um de seus "jovens" Tronos Planetários, que se projetou desde o "interior" do Divino Criador para seu exterior, já como sua individualização em nível planetário.

Saibam que no princípio do surgimento deste nosso planeta o poderoso magnetismo do divino Trono Planetário começou a gerar os fatores de Deus, e a atratividade era tanta que todas as energias que entravam em seu campo gravitacional foram sendo compactadas, criando um caos energético semelhante a uma massa explosiva.

Quando o magnetismo divino do "jovem" Trono Planetário esgotou sua capacidade de absorver energias do nosso universo material, ele deu início ao desdobramento de sua escala magnética e de sua qualidade ordenadora e geradora, análoga a de Deus, e surgiu uma escala magnética planetária.

Saibam que esta escala planetária tem a forma de uma cruz, cujo centro neutro equivale ao centro do magnetismo do divino Trono Planetário, que no nosso caso é o "Divino Trono das Sete Encruzilhadas", um Trono já não tão jovem porque desde que se desdobrou já se passaram uns treze bilhões de anos solares.

Esta é a verdadeira idade, ainda que aproximada, do início do surgimento ou da gênese do nosso planeta Terra.

A escala magnética divina do Divino Trono Regente do Planeta o caracteriza e o distingue porque ele tanto repete a escala divina no sentido vertical como no horizontal.

Esta é a escala magnética do divino Trono Planetário:

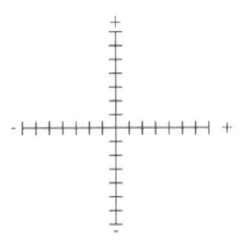

$$+\!\!\!\!\!\!+\!\!+\!\!+\!\!+\!\!+\!\!+\!\!+\!\!+\!\!+\!\!+\!\!+\!\!+\!\!+$$

Ela forma sete graus vibratórios em cada um dos "braços" de sua "cruz", que se correspondem e repetem o mesmo magnetismo do divino Trono Planetário, criando assim os níveis vibratórios ou graus magnéticos intermediários.

Este magnetismo que mostramos graficamente está na origem do nosso planeta e é o responsável pela sustentação de tudo o que aqui existe e de todos os seres que aqui vivem.

Saibam que o Divino Trono Planetário é uma individualização de Deus que traz em si mesmo todas as qualidades divinas do Divino Criador e, junto com incontáveis outros Tronos Planetários, formam a hierarquia divina dos Tronos Planetários que, no nosso grau magnético da escala divina, deram ou estão dando início à formação de planetas.

O nosso Trono Planetário e mais alguns outros, semelhantes a ele, "giram" em torno do "nosso" Trono Solar que, para nós, é o núcleo vivo de um macroátomo divino.

Saibam que esses Tronos solares formam as constelações que são regidas pelos "Tronos Estelares", que formam uma hierarquia que gira em torno dos "Tronos Galácticos", que giram em torno dos "Tronos Universais" que formam o primeiro nível de Deus e são, cada um em si mesmo, um dos graus magnéticos da escala divina.

Nós não sabemos onde se localiza o começo ou o final da escala divina. Então, por analogia com a escala magnética do Divino Trono Planetário, estabelecemos um ponto neutro para dividi-la em graus magnéticos superiores e inferiores ao do nosso universo, que não se resume só à sua dimensão física, já que dentro deste nosso universo temos outras dimensões e mesmo em nosso planeta temos muitas dimensões planetárias.

Em Deus tudo se repete e se multiplica, tanto no micro quanto no macro.

Então, sabendo que a hierarquia dos Tronos de Deus inicia-se com os divinos Tronos regentes do universo, agora podemos descrevê-la corretamente para que tenham uma noção aproximada da infinitude do Divino Criador, que é ilimitado em todos os sentidos, e, no entanto está num "grão de mostarda", tal como nos disse o mestre Jesus, que é em si mesmo uma individualização do divino Trono da Fé.

Bem, vamos à hierarquia dos Tronos de Deus:

1º Deus
2º Tronos Regentes dos Universos (Tronos Universais)
3º Tronos Regentes das Galáxias (Tronos Galácticos)
4º Tronos Regentes das Constelações (Tronos Estelares)
5º Tronos Regentes das Estrelas (Tronos Solares)
6º Tronos Regentes dos Planetas (Tronos Planetários)
7º Tronos Regentes das Dimensões Planetárias (Tronos Dimensionais)

Esses Tronos cuidam da manutenção e estabilidade na criação divina e são, em si mesmos, individualizações de Deus, cada um adaptado ao seu grau vibratório na escala divina.

Mas outras hierarquias vão surgindo, já a partir dos Tronos que regem estes níveis magnéticos da escala divina, e regem os subníveis magnéticos, auxiliando-os na manutenção da estabilidade, da ordem e da evolução.

Temos as hierarquias dos Tronos atemporais:

- Trono das Energias
- Trono do Tempo
- Trono das Passagens
- Trono da Vida
- Trono da Renovação
- Trono da Transformação
- Trono Guardião

Esses Tronos são atemporais porque não atuam a partir de um ponto fixo, ou um ponto de forças magnético.

Eles, onde estiverem, assentam-se e ali mesmo desdobram-se e começam a atuar, sempre visando preservar ou restabelecer o meio ambiente onde se assentaram.

Nós, no nível planetário e multidimensional, temos os sete Tronos que formam a coroa regente planetária. Os sete Tronos assentados ao redor do Divino Trono Planetário são estes:

- Trono da Fé
- Trono do Amor
- Trono do Conhecimento
- Trono da Justiça
- Trono da Lei
- Trono da Evolução
- Trono da Geração

Estes sete Tronos são as sete individualizações do Divino Trono Planetário, que se repete e se multiplica através deles, já que cada um dá início às suas próprias hierarquias. E, se muitas são as dimensões da vida dentro do nosso planeta, em todas elas estes sete Tronos Planetários multidimensionais criam uma hierarquia auxiliar, cujos membros vão ocupando os níveis vibratórios da escala magnética planetária. E estes Tronos regentes dos níveis vibratórios se repetem e se multiplicam nos Tronos regentes dos subníveis vibratórios, que atuam bem próximos dos seres, pois estão no nível mais próximo de nós e são as individualizações dos regentes das dimensões.

Se descrevemos parcialmente as hierarquias dos Tronos, é porque são geradores de energias fatoradas e as irradiam através dos sete sentidos.

Saibam que todo ser foi distinguido em sua origem divina por uma qualidade de Deus, e foi "fatorado" quando ainda vivia no útero da Divina Mãe Geradora. Então, este fator que nos "marcou" irá definir nossa herança genética divina e formará nossa natureza individual.

Saibam também que um ser, ao alcançar um padrão magnético individual irradiante, começa a gerar energias e a irradiá-las para quem vibra no mesmo padrão, mas com magnetismo absorvente. Uns sustentam os outros, doando as energias que geram naturalmente. Nestas doações "individuais", os geradores vão influenciando os absorvedores e, imperceptivelmente, vão amoldando seus magnetismos, energias e naturezas íntimas. Ou não é verdade que um filho também herda dos pais seus hábitos, caráter e modo de viver?

Esta é a característica mais marcante da gênese divina, pois nada existe por si só ou só para si. Tudo se interpenetra, inter-relaciona e cria uma dependência mútua, que dá estabilidade à criação, às criaturas, aos seres e às espécies.

Saibam que os fatores de Deus são a menor coisa que existe na criação e estão na gênese. Logo, as hierarquias divinas começam com a dos Tronos geradores de fatores puros, mas irradiados já a partir do seu grau magnético, onde estão atuando tanto na natureza quando na vida dos seres.

A Inscrição Divina na Magia Riscada

Quando abrimos um espaço mágico e inscrevemos nele ondas vibratórias, símbolos sagrados e signos mágicos nós estamos realizando uma escrita divina que adquirirá vida própria assim que o mago ativá-lo e dar-lhe suas determinações mágicas.

Tudo o que foi inscrito nele adquire atividade em função da vida própria que o espaço mágico adquire, já que as ondas, símbolos e signos absorvem um número muito grande de ondas fatorais transportadoras das energias vivas das divindades. Ondas estas capazes de gerar de si, após suas fusões num grosso feixe, energias que serão transportadas pelas ondas eletromagnéticas irradiadas pelo espaço mágico.

Então, em um espaço mágico, temos isto:

- De um lado, as ondas, símbolos e signos atraem milhões de ondas fatorais, que são ondas divinas vivas, capazes de gerar energias a partir de si mesmas.
- Do outro lado, após a fusão delas dentro do espaço mágico, este irradia ondas eletromagnéticas capazes de realizar as determinações mágicas a partir de si, pois são "vivas".

Como cada onda transporta uma energia viva específica ou um fator capaz de realizar as determinações mágicas dadas pelo médium magista, a sua realização acontece no campo e sentido onde a divindade doadora dela atua e realiza seu mistério na vida dos seres, das criaturas e das espécies animadas e inanimadas.

Com isso explicado e entendido pelos leitores, então saibam que um espaço mágico não é um espaço comum e, sim, um espaço vivo, gerador de ondas eletromagnéticas, ativo e capaz de realizar as determinações mágicas de quem o inscreveu e o ativou.

E, se um espaço mágico é tudo isto, é porque ele é em si a inscrição "concreta" do poder realizador das divindades de Deus.

Sim. Quando inscrevemos ondas, símbolos e signos dentro de um espaço mágico, nós estamos concretizando, no nível "terra", as ondas vivas das divindades. Fato este que nos permite direcioná-las para onde acharmos necessário.

A magia riscada, por ser uma inscrição divina no nível terra em seus dois lados (o material e o etérico), tem o poder de realizar as determinações mágicas que lhe forem dadas, pois agirá tanto no plano material quanto no espiritual. E, por ser viva, somente se desativará após a realização das ordens que lhe foram dadas na sua ativação.

Saibam que todo espaço mágico ativado no nível terra por um mago somente se desativará no seu lado etérico quando conseguir realizar na vida do ser por quem ele foi inscrito o que lhe foi determinado quando da sua ativação. Ou quando assim o quiser a Lei Maior e a Justiça Divina de Deus, as instâncias divinas regentes de todas as inscrições mágicas.

Sim. Se a pessoa para quem o espaço mágico foi inscrito não for merecedora dos benefícios determinados pelo mago, assim que ela fechar seu lado material, seu lado etérico diluir-se-á, pois as divindades doadoras das ondas vivas as recolherão e o magnetismo vivo que sustentava o espaço mágico se desfará e nada mais restará onde ele foi inscrito.

E se tudo se passa assim, é porque a magia inscrita ou magia riscada é a concretização de ondas vibratórias, símbolos sagrados e signos mágicos pertencentes às divindades de Deus, os senhores da magia.

A Escrita Mágica dos Tronos de Deus

A escrita mágica dos Tronos de Deus é um mistério. E, como todo mistério, tem uma magnitude muito maior do que possamos imaginar, porque ela transcende nosso conhecimento dos recursos divinos já colocados à nossa disposição pelos Mestres da Luz do Saber e supera nossa capacidade de compreensão deste mistério magístico, pois as ondas vibratórias são "vivas" e são, em si, códigos genéticos divinos capazes de gerar algo onde nada ainda existe.

Se criarmos um espaço mágico e riscarmos algumas ondas dentro dele, algo divino está se iniciando ali e começará a irradiar-se continuamente dentro de um novo grau magnético (o do mago que o criou) e não interferirá em nada no todo, pois dali apenas sairão as ondas "vivas" necessárias para a realização das determinações mágicas dadas pelo mago que ativou uma magia.

Todas as magias ativadas por um mago fluirão por um grau vibratório, magnético, energético e análogo ao do seu mental.

Como não existem dois mentais que vibrem no mesmo grau, que possuam o mesmo magnetismo, irradiem o mesmo tipo de energia que, então, em magia, cada mago tem à sua disposição um espaço magístico tão infinito quanto a própria criação divina. Bastando-lhe ir ocupando-o com magias positivas, benéficas e regidas pela Lei Maior e pela Justiça Divina.

Sim. Caso um mago dedique-se a ativar magias negativas, saibam que ele está inundando o seu grau vibratório com ondas energéticas e com seres negativos, insensíveis mesmo, com os quais terá de lidar após o seu desencarne e com os quais se chocará, pois eles são difíceis de se lidar e não se submetem a quem os ativou magística ou religiosamente.

A primeira coisa que esses seres negativos fazem com quem os ativou magística ou religiosamente de forma negativa e prejudicial a alguém, é prenderem dentro do seu próprio nível vibratório mental quem os ativou de forma contrária à preconizada pela Lei Maior e pela Justiça Divina.

Após fazerem isto, o mago trevoso, aprisionado em espírito, começa a absorver as ondas vibratórias negativas ativadas por ele quando vivia no plano material. Ondas estas cujas energias negativas o deformam, atormentam-no, o dementam-no, o enlouquecem-no, etc.

Já o mago que sempre ativou suas magias para benefício dos seus semelhantes e sempre regido pela Lei Maior e pela Justiça Divina, este mago terá seu grau vibratório saturado de ondas vivas positivas e que o fortalecerão em espírito e o energizarão positivamente. Assim como, verá seu grau vibratório povoado por seres luminosos e por divindades amorosas.

Por isto, e muitas outras coisas que deixamos de comentar aqui somente ensinaremos as ondas vibratórias dos Tronos de Deus.

Mas saibam que os antigos magos Caldeus conheciam a magia astrológica ou magia dos astros e os "signos" usados por eles nada mais eram que a afixação de ondas vibratórias não explicadas pelos atuais astrólogos, já que era uma magia oculta, cujos fundamentos jamais foram revelados pelos seus conhecedores.

A astrologia atual lida com os astros e não com os Tronos regentes dos planetas.

Os astrólogos sabem que os planetas do nosso sistema solar nos influenciam aqui na Terra desde que nascemos até a nossa morte no plano material. E têm um alto conhecimento da natureza dos seres, pois a influência dos planetas é verdadeira, ainda que só até certo ponto consigam alterar a natureza preexistente nos seres antes de encarnarem.

Observem os signos astrológicos e verão "pedaços" de ondas vibratórias desconhecidas, pois o conhecimento sobre a quais Tronos planetários elas eram associadas e aos quais os antigos magos evocavam quando as riscavam nunca foi aberto.

Mas eles também usavam signos que significavam as sílabas sagradas ou "mantras", às quais inseriam em seus círculos mágicos, conhecimento este que também se foi quando da dominação Assíria na Mesopotâmia.

O que eles riscavam eram "pedaços" das ondas sonoras emitidas quando da pronúncia de cada sílaba sagrada sonorizada nas suas evocações, pois assim as suas determinações não cessariam e ficariam vibrando a partir do próprio espaço mágico aberto por eles.

Signos Astrológicos

| ÁRIES | TOURO | GÊMEOS | CÂNCER |

| LEÃO | VIRGEM | LIBRA | ESCORPIÃO |

| SAGITÁRIO | CAPRICÓRNIO | AQUÁRIO | PEIXES |

Observem os signos das runas e verão pedaços de ondas vibratórias dos Tronos de Deus, as divindades regentes da natureza.

96 *Iniciação à Escrita Mágica Divina*

RUNAS

ᚱ	ᚷ	ᚲ	ᚠ	ᚢ	ᚠ
Raido	Gebo	Kano	Ansuz	Urus	Fehu
ᚹ	ᚺ	ᚾ	ᛁ	ᚦ	ᛃ
Wunjo	Hagalaz	Nauthiz	Isa	Thurisaz	Jera
ᛇ	ᛈ	ᛉ	ᛋ	ᛏ	ᛒ
Eihwaz	Perth	Algiz	Sowelu	Teiwaz	Berkana
ᛖ	ᛗ	ᛚ	ᛜ	ᛟ	ᛞ
Ehwaz	Mannaz	Laguz	Inguz	Othila	Dagaz

Nós temos em nosso poder cerca de trezentos e cinquenta desenhos do magnetismo e das irradiações das pedras e dos minerais encontrados na natureza, onde vemos símbolos, signos e ondas vibratórias as mais diversas possíveis, muitas das quais partilhadas, por mais de uma divindade planetária.

Já outras, pertencem às divindades regentes de dimensões planetárias. E outras pertencem às divindades regentes dos níveis vibratórios horizontais que cruzam estas dimensões planetárias.

Enfim, magia é algo que transcende a nossa capacidade de entendimento e temos de limitar-nos a umas poucas ondas, aos seus signos e símbolos, senão ultrapassaremos os nossos atuais limites de abertura dos mistérios de Deus.

Mas que fique entendido que existem muitas outras, das quais encontramos pedaços inscritos em antigos símbolos mágicos, em antigos horóscopos, em antigos textos de magia, ainda que quem os tenha escrito ocultou seus fundamentos e a quais divindades pertenciam.

Se bem que não sabemos se ocultaram mesmo ou se não os explicaram porque, tal como os atuais "magos", não os conheciam em seus fundamentos e a quais divindades pertenciam, limitando-se a copiá-los de inscrições ainda mais antigas. Tal como fazem os magos de hoje, que as inscrevem em seus talismãs ou em seus símbolos e círculos mágicos, mas não têm a menor noção das divindades que estão inscrevendo.

Leiam *A Chave dos Grandes Mistérios*, de Eliphas Levi, ou leiam *Magic*, de Francis King, publicado em português pela Ediciones Del Prado S.A., ou leiam *O Mago*, de Francis Barrett, e verão compilações e mais compilações de antigos textos de magia, assim como verão pentáculos, talismãs, símbolos e signos mágicos.

Mas não encontrarão os fundamentos verdadeiros deles e muito menos a que divindades pertencem, impossibilitando suas utilizações.

Se bem que isto é ótimo, pois algumas ondas, signos ou símbolos estão invertidos para confundir quem viesse a usá-los posteriormente, assim como, outras pertencem a uma classe de divindades negativas, que cobram a servidão dos que as usam, e cujas ondas vivas, ativadas aqui no plano material pelos magos trevosos, retornarão a eles em espírito e os deformarão, os subjugarão e os escravizarão em espírito, dementando-os.

Limitemo-nos às ondas vivas dos Tronos de Deus, pois em espírito elas energizarão, fortalecerão, libertarão, aperfeiçoarão e iluminarão quem ativá-las aqui no plano material, para que elas beneficiem as pessoas ou os espíritos atormentados pelas ondas negativas ativadas pelos magos trevosos.

Escrita Astrológica

Saibam que existem várias escritas mágicas, aplicadas mesmo que não se conheça seus verdadeiros fundamentos divinos.
Sim, cada símbolo ou signo tem por trás um Trono de Deus.
A mente humana é muito criativa e é capaz de criar coisas inusitadas e antes impensadas. Mas, tudo o que a nossa mente criar, com certeza já existe em outras dimensões ou em outros níveis vibratórios da Vida.
Em verdade, a nossa mente acessa conhecimentos preexistentes e os materializa aqui, na nossa dimensão material.
Nós já comentamos, num capítulo anterior, que os signos astrológicos são "pedaços" de ondas vibratórias irradiadas por divindades regentes de planetas do nosso sistema solar. Mas quem os "criou", ou os inscreveu, não tinha ciência desse mistério ou nada revelou.
Mas ele foi inspirado, e disso não temos dúvida, pois a Astrologia é uma das "matérias" da ciência divina estudada nos colégios magnos existentes no astral superior. Mas lá o objetivo é outro e tem a ver com os fluxos energéticos essenciais, que chegam ao nosso planeta provenientes dos outros do nosso sistema solar, que é um macro-átomo, que possui uma estrutura atômico-energética-magnética na qual uns planetas influenciam os outros e todos são influenciados pelo Sol, uma estrela de 5ª grandeza, segundo a ciência humana.
Nós não podemos revelar muita coisa sobre a magia astrológica, porque ela está fundamentada em magnetismo, energias e ondas vibratórias dos Tronos Planetários regentes dos planetas que, com o nosso, formam este macro-átomo solar.
Saibam que todos nós estamos sob a sutil influência magnética, energética e vibratória dos planetas do nosso sistema solar, e em dado momento estamos absorvendo, por um chacra, as essências "marcianas", e, em outro chacra, estamos absorvendo as essências "venusianas" ou "saturnianas", etc. Nada é estático, e a mudança vibratória e magnética de um chacra, que

acontece em função da alternância de sentimentos, imediatamente desliga os fluxos de ondas essenciais de um planeta e nos coloca em sintonia eletromagnética com os fluxos essenciais de outro.

Essa alternância é benéfica somente quando os nossos sentimentos forem positivos, porque se forem negativos, começaremos a atrair fluxos de ondas essenciais negativas, irradiadas pelo magnetismo do planeta que sintonizarmos eletromagneticamente.

Assim, o uso de signos astrológicos dentro dos pontos riscados ou das cabalas, visa a inscrição deles dentro de um espaço mágico, de onde partirá um fluxo de ondas energéticas-essenciais adaptadas magnética e vibratoriamente ao nosso padrão vibratório terreno ou espiritual, fato este que dá ao mago a oportunidade de direcionar um ou vários fluxos energéticos essenciais, justamente para as pessoas que ele quer ajudar.

Saibam que a capacidade de absorção das essências de outros planetas é limitada e muitas vezes os bloqueios dos chacras até impedem que absorvamos fluxos importantíssimos para nosso corpo energético ou para a manutenção do nosso equilíbrio mental e emocional.

Mas, caso risquemos um ponto ou cabala que desbloqueie os chacras, então podemos acrescentar nela um ou vários signos astrológicos, pois dentro dela começará a ser gerado um poderoso fluxo energético-essencial que se ligará aos chacras e órgãos vitais da pessoa beneficiária dessa magia cabalística-astrológica. Logo seus centros de forças e órgãos vitais voltarão ao equilíbrio energético, magnético e vibratório, alterando seu estado mental, racional, emocional, psicológico e sentimental.

Nós sabemos que o uso de signos astrológicos nos pontos riscados ou nas cabalas tem sido aleatório, pois seus fundamentos ocultos se perderam com os antigos magos caldeus.

Logo, nem sempre os magos atuais têm usado os signos mais indicados quando riscam seus pontos ou suas cabalas e os inscrevem só porque aprenderam que devem fazê-lo.

Nós recomendamos que somente insiram em suas cabalas ou pontos riscados os signos caso tenham um real conhecimento sobre eles.

Na dúvida, não recorram a eles. Apenas aguardem. Certo?

Signos Planetários

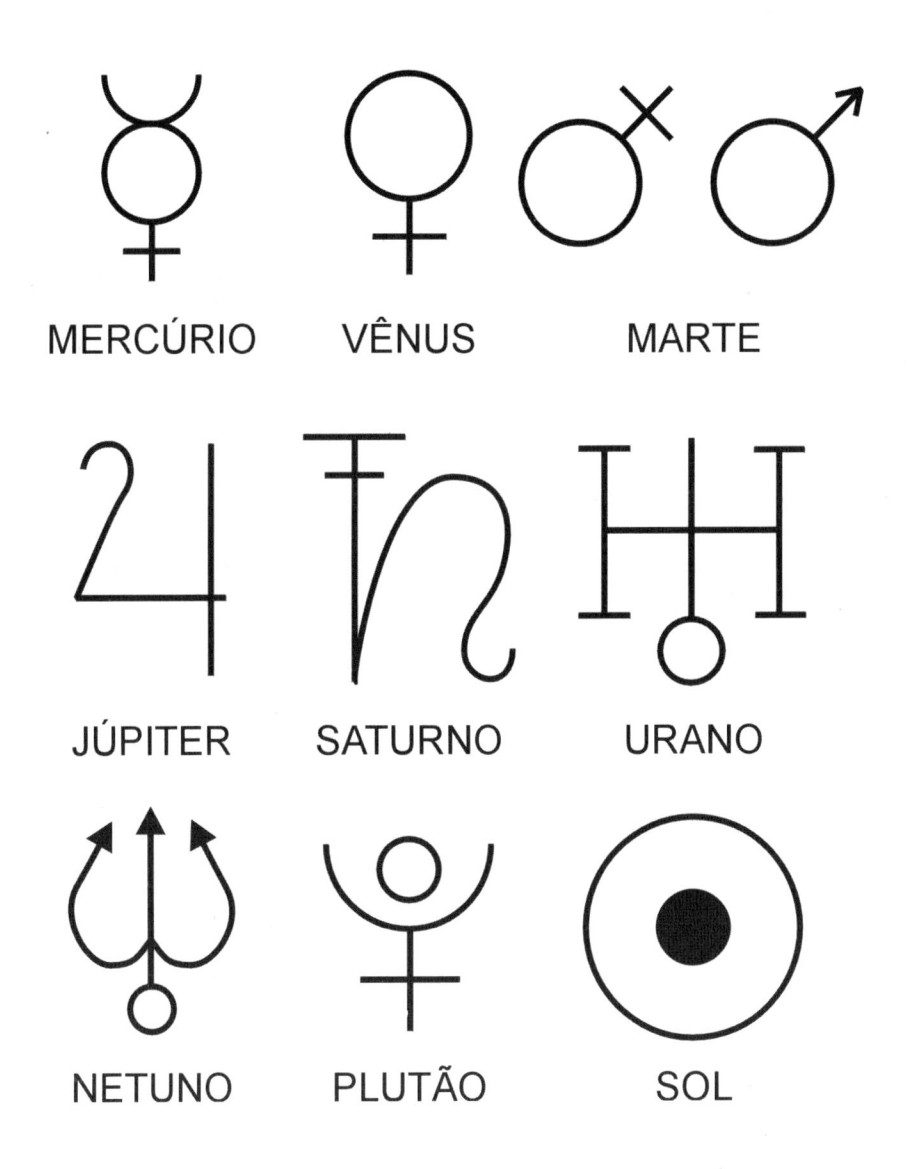

☿	♀	⚥ ♂
MERCÚRIO	VÊNUS	MARTE
♃	♄	⛢
JÚPITER	SATURNO	URANO
♆	♇	☉
NETUNO	PLUTÃO	SOL

ALFABETOS MÁGICOS

Os alfabetos mágicos, cujas letras têm sido inscritas em pontos riscados, foram tirados do livro *O Mago* de Francis Barrett, e do livro *Tratado Completo de Alta Magia*, de Vasariah (Delfin M. Martinez), com o único intuito de mostrar aos estudiosos da magia simbólica de onde provêm certos signos usados pelos magos.

Nós não daremos o significado de nenhuma letra destes alfabetos, e nos limitaremos a transcrevê-las para que, quando virem uma delas inscrita no ponto dos vossos guias de lei, saibam o que são.

Apenas diremos que: cada letra tem um som original, só seu, e que pertence a uma divindade, pois cada divindade é a exteriorização de um som do verbo criador, que é Deus.

Deus exterioriza-Se nas Suas divindades e estas O concretizam na Sua criação divina, sonorizando Seus pensamentos vivos, vivificantes e vivificadores.

Então, se alguém sonorizar corretamente uma "letra mágica", com certeza realizará alguma ação mágica capaz de alterar o éter à sua volta e as ondas vibratórias que cruzam todos os quadrantes da criação divina. Com isto feito, basta projetar mentalmente o que criou à sua volta para quem deseja ajudar, que todo o éter e toda a teia vibratória em torno da pessoa ajudada será alterado, e ela melhorará.

Mas, quem conhece realmente o som das letras?

Os sagrados Tronos conhecem — respondemos nós.

Saibam que cada divindade tem seu nome divino, que é silábico, e cada sílaba vibra num tom específico. A junção das sílabas, entoadas ou sonorizadas corretamente, formam um canto "mântrico" que é capaz de alterar tudo à volta de quem o estiver sonorizando.

O nome silábico de uma divindade é uma sinfonia divina criadora e é a concretização de uma das qualidades criadoras do Verbo Divino. Logo, se fosse conhecido no plano material, com certeza o caos já teria se restabelecido no Universo e em toda a ordenadíssima criação de Deus.

Os pensamentos das divindades são irradiados através de ondas vibratórias vivas e divinas. Eles têm o poder de realizar-se em tudo e todos que absorverem suas ondas vibratórias.

As letras dos alfabetos são a inscrição humana dos nossos pensamentos, que não têm o poder de realização, pois essa faculdade pertence somente a Deus e às Suas divindades.

Nós podemos pensar algo que nada acontecerá, pois nossa vibração mental não tem esse poder de realização. Mas, se inscrevermos uma letra e soubermos qual divindade é sua "dona", basta inscrevê-la e evocar sua divindade regente que uma irradiação "viva" e realizadora se multiplicará e se projetará até a pessoa a ser beneficiada pela magia riscada.

Bom, vamos parar por aqui, senão acabaremos revelando o que não devemos revelar, pois é proibido pela Lei Maior.

A seguir, transcrevemos alguns alfabetos mágicos, cujas letras vêm sendo inscritas nos pontos riscados. Só não os inscrevam, pois sem seus fundamentos eles serão inócuos ou realizarão ações cujos efeitos energéticos e vibratórios serão contrários aos seus objetivos.

Alfabeto Babilónico

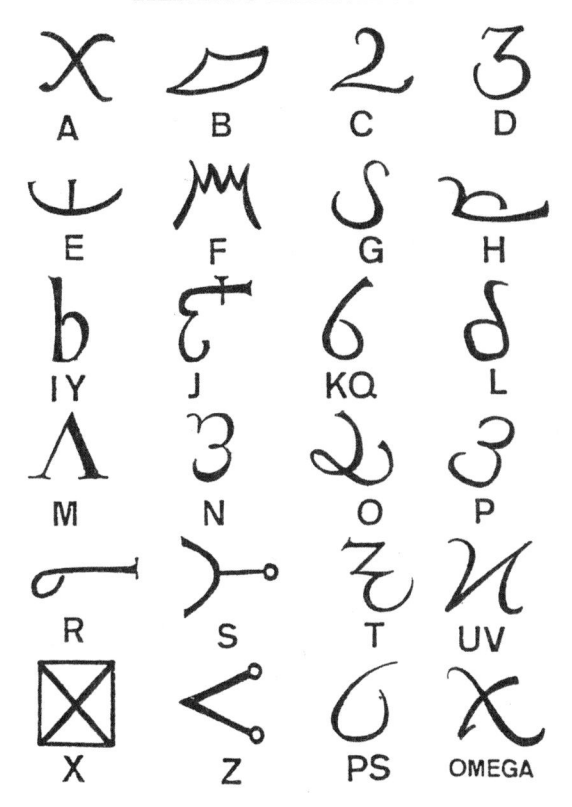

Gráfico de Anjos x Dias da Semana

A tabela mostrando os nomes dos Anjos que governan os 7 dias da semana com seus Selos, Planetas e Signos

Domingo	Segunda	Terça	Quarta	Quinta	Sexta	Sábado
Michael	Gabriel	Camael	Raphael	Sachiel	Anael	Gaffiel
nome do 4º céu Machen	nome do 1º céu Shamain	nome do 5º céu Machon	nome do 2º céu Raquie	nome do 5º céu Zebul	nome do 3º céu Sagum	não há anjo regente acima do 6º céu

Alfabeto Alquímico

A)(B 🜓 C 〜〜 D △ E 🜔
F → G ☆ H ♏ I ♄ L ♎
M ☽ N ♍ O ☿ P ♌ Q ♋
R ☉ S ♄ T ♂ U ♀ X ⊖
Y ♇ Z 🜨

Alfabeto Caggliostro

A ♌ B 🜚 C 🜛 D ⊢ E ⊤ F PH 🜛 G ⊣
H ⁊ IJ ⊃ KQ ⊙ L ⊋ M ⌒ N ⌇ O ⊐
P ⊩ R ⊂ S ♋ T ⊏ UV ⊰ X ⌇ Y ⋁
Z ⋈ TS TH 🜛

Caracteres Numéricos Hebraicos

Γ Γ ΓΥ Γ Γ Γ Ρ Ρ

٦ ٦ ٦ Υ ٦ ٦ ٦ ٦

L ⊦ V ʎ ʎ ʎ ʎ b

⌐ ⌐ V ˩ ˩ ˩ ˩ ˥

J̇ J̇ 𝕂 𝕂 𝕂

Ⴑ

Alfabeto Isaicum

Alfabeto Massageticum

Alfabeto dos Magos

Caracteres de Paracelso

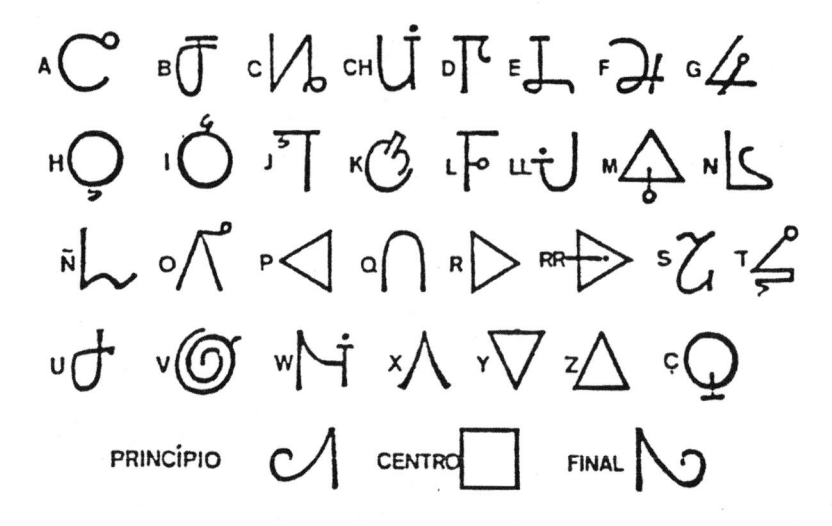

PRINCÍPIO — CENTRO — FINAL

Alfabeto dos Rosacruzes

Alfabeto Scithicum

Alfabetos Mágicos

Alfabeto dos Templários

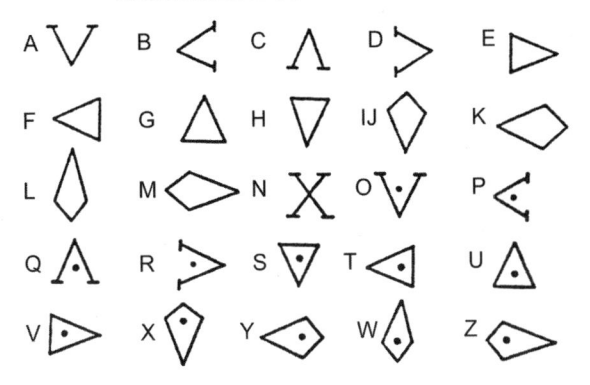

Caracteres Geomânticos

Selos Mágicos ou Talismãs

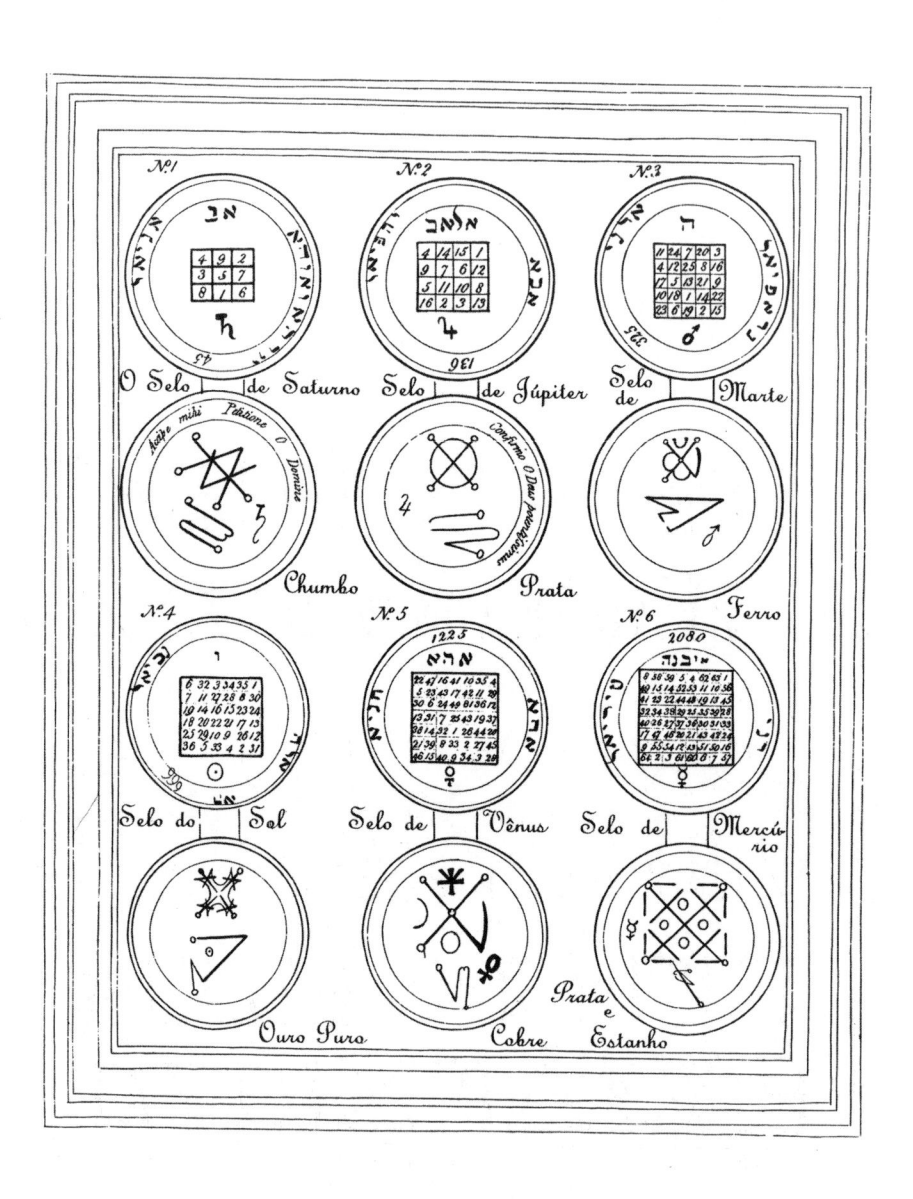

Alfabetos Mágicos

Alfabeto Tebano e Escritas Celestes, Malachim e Travessia do Rio

Trono Masculino da Fé

Ondas vibratórias, Signos e Símbolos do Trono Masculino da Fé

O Trono da Fé associado às coisas religiosas e sua ação sobre os seres processa-se no sentido da fé.

Muitas são as suas ondas vibratórias. Mas nos limitaremos às suas ondas magnetizadora e cristalizadora e às resultantes da fusão delas com algumas dos outros Tronos.

Vamos a elas:

1 - Onda Reta Vertical Magnetizadora: esta onda gera e irradia uma energia que magnetiza tudo o que toca. Ela é pura e, portanto, é uma onda teúrgica magnetizadora.

2 - Onda Reta Horizontal Cristalizadora: esta onda gera e irradia uma energia que cristaliza tudo o que toca. Ela é pura e, portanto, é uma onda teúrgica magnetizadora.

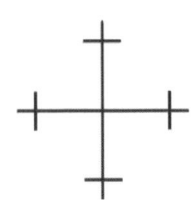

3 - **Ondas Retas Cruzadas Congregadoras**: esta onda é resultante da fusão das duas anteriores e ela gera e irradia uma energia "congregadora" ou que desperta a fé em quem ela tocar. São duas ondas teúrgicas cruzadas e são capazes de realizar toda uma ação magística. Podem ser inscritas nos quadrantes ou no centro dos espaços mágicos, de onde se multiplicam e se irradiam.

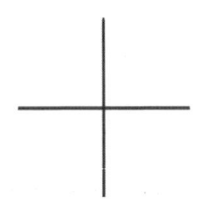

4 - **Signo Cruzado**: este signo é uma cruz equilátera e é inscrito nos quadrantes, nos pontos cardeais ou do lado de fora dos espaços mágicos, de onde se multiplicam e se irradiam.

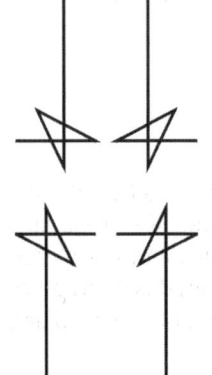

5 - **Signos Raiados dos Tronos da Fé e da Justiça**: estes signos são pedaços das ondas que surgem quando as ondas deles se unem. Se estiverem voltados para o alto estão magnetizando, energizando, cristalizando e purificando. Mas se estiverem voltados para baixo, então estão desmagnetizando, desenergizando, consumindo e descristalizando. Podem ser inscritos nos quadrantes ou nos pontos cardeais dos espaços mágicos, de onde se multiplicam e se irradiam.

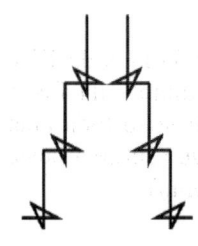

6 - **Ondas "Raiadas" dos Tronos da Fé e da Justiça**: estas ondas mostram o crescimento das ondas raiadas, que geram uma energia mista cristalina-ígnea.

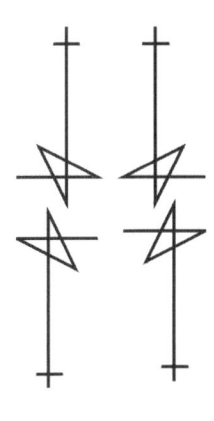

7 - Signos Raiados "Cruzados" dos Tronos da Fé e da Justiça: estes signos são resultantes da fusão da onda congregadora (em cruz) com as ondas energizadora e purificadora. Eles podem ser inscritos nos quadrantes, nos pontos cardeais ou do lado de fora dos espaços mágicos, de onde se multiplicam e se irradiam.

8 - Signos Raiados Simples dos Tronos da Fé e da Justiça: estes signos são pedaços da onda mista resultante da fusão das ondas de Oxalá com as de Xangô. Eles podem ser inscritos nos quadrantes, nos pontos cardeais ou do lado de fora dos espaços mágicos.

9 - Símbolo Raiado Cruzado dos Tronos da Fé e da Justiça: este símbolo é capaz de realizar por si só toda uma ação magnetizadora-cristalizadora-purificadora-energizadora. Mas ele pode ser inscrito em um dos quadrantes do espaço mágico, de onde se multiplicará e se irradiará.

TRONO MASCULINO DA FÉ E TRONO FEMININO DA GERAÇÃO

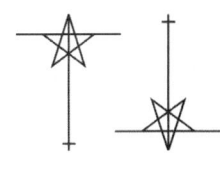

10 - Cruzes Estreladas Cruzadas dos Tronos da Fé e Geração: este símbolo misto é a resultante da fusão das ondas deles, capaz de realizar por si só toda uma ação congregadora-geradora. É dele que surge a lança diamantada do Trono Feminino da Geração.

Tronos Masculino e Feminino da Fé

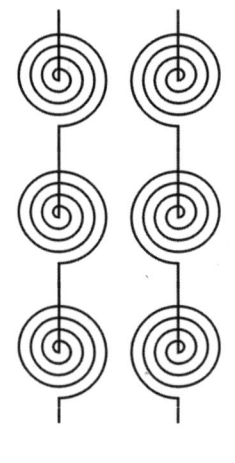

11 - Ondas Vibratórias dos Tronos da Fé: estas ondas são as resultantes da fusão da onda magnetizadora reta dele com a onda magnetizadora espiralada dela.

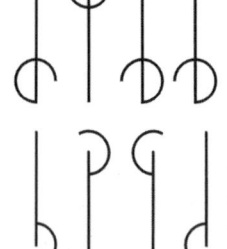

12 - Signos dos Tronos da Fé: estes signos são pedaços das ondas mistas deles. Eles podem ser inscritos nos quadrantes, nos pontos cardeais ou do lado de fora dos espaços mágicos, de onde se multiplicam e se irradiam em ondas vibratórias.

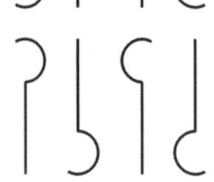

Trono Masculino da Fé e Trono Feminino do Conhecimento

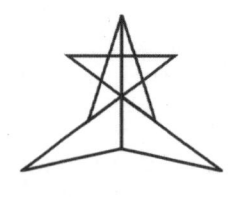

13 - Estrela mista compartilhada pelo Trono Masculino da Fé e pelo Trono Feminino do Conhecimento.

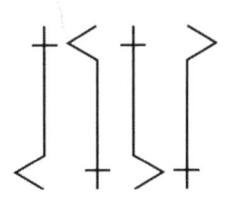

14 - Signos mistos do Trono da Fé e do Trono do Conhecimento: estes signos dão a resultante da fusão da onda reta cruzada dele com as ondas afixadora e concentradora dela. Eles podem ser inscritos dentro dos quadrantes ou fora do círculo mágico, de onde se multiplicam e se irradiam.

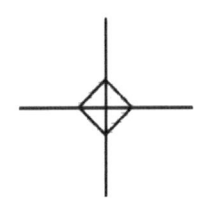

15 - Signos mistos: este signo é um símbolo resultante da fusão das ondas magnetizadora e cristalizadora dele com as ondas afixadora e condensadora dela. Ele é capaz de realizar por si só toda uma ação e tanto pode ser inscrito no centro como nos quadrantes do círculo mágico, de onde se multiplicará e se irradiará.

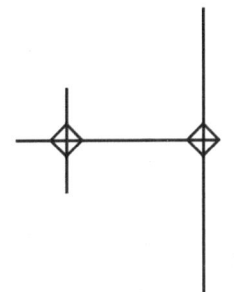

16 - Onda Magnetizadora Expansora: esta onda mista é resultante da fusão das ondas vibratórias desse Trono. Aqui mostramos como ela cresce a partir da inscrição do signo anterior.

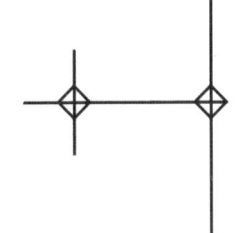

17 - Onda Magnetizadora Afixadora: esta onda mista gera e irradia uma energia que tanto magnetiza como afixa tudo o que toca.

18 - Onda Magnetizadora-Concentradora: esta onda mista gera e irradia uma energia que tanto magnetiza como concentra tudo o que toca.

Signos e Ondas Vibratórias do Trono Masculino da Fé e Trono Feminino do Amor

19 - Signos dos Tronos da Fé e do Amor:

Signo 1 = pedaço da onda magnetizadora dele fundida com as ondas minerais dela.

Signo 2 = pedaço da onda magnetizadora dele fundida com a onda coronal ou agregadora dela.

Signo 3 = pedaço das ondas magnetizadora e cristalizadora dele fundidas com a onda conceptiva dela.

Estes signos mistos podem ser inscritos nos pontos cardeais, nos quadrantes ou do lado de fora dos círculos mágicos, de onde eles se multiplicam e se irradiam.

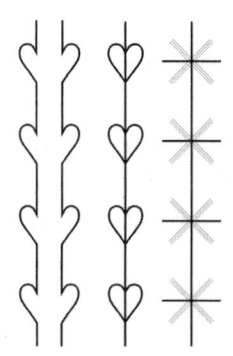

20 - Crescimento Vertical das Ondas dos Tronos da Fé e do Amor.

TRONO MASCULINO DA FÉ E TRONO FEMININO DA JUSTIÇA

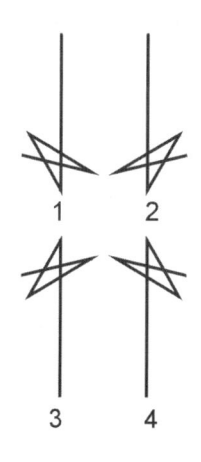

21 - Signos, Símbolos e Ondas Vibratórias dos Tronos da Fé e da Justiça:

1 e 3 = signos resultantes da fusão da onda magnetizadora dele com a onda consumidora dela.

2 e 4 = signos resultantes da fusão da onda magnetizadora dele com a onda energizadora dela.

Estes signos, quando estão apontando para baixo ou para a esquerda, estão desmagnetizando e desenergizando ou consumindo as energias de tudo o que tocarem. E quando estiverem apontando para cima ou para a direita, eles estão magnetizando e energizando tudo o que tocarem. Eles podem ser inscritos nos pontos cardeais, nos quadrantes ou do lado de fora dos espaços mágicos.

22 - Estrela mista, compartilhada pelos Tronos da Fé e da Justiça: este símbolo é resultante da fusão da onda cruzada dele com as ondas consumidora e energizadora dela. Ele é capaz de realizar por si só toda uma ação mágica.

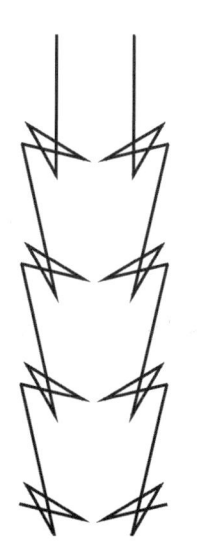

23 - Ondas Vibratórias mistas dos Tronos da Fé e da Justiça:

1— esta onda mista é resultante da fusão da onda magnetizadora dele com a onda consumidora dela.

2— esta onda mista é resultante da fusão da onda magnetizadora dele com a onda energizadora dela.

Aqui apenas mostramos os crescimentos verticais dessas ondas cristalinas-ígneas.

Signos e Ondas Vibratórias do Trono Masculino da Fé e Trono Feminino da Lei

24 - Signos Magnetizadores-Movimentadores e Direcionadores:

1 e 3 = são signos mistos, resultantes da fusão da onda magnetizadora dele com a onda movimentadora dela.

2 e 4 = são signos mistos, resultantes da fusão da onda magnetizadora dele com a onda direcionadora dela.

Estes signos podem ser inscritos nos pontos cardeais, nos quadrantes ou do lado de fora dos círculos mágicos.

25 - Crescimento Vertical das Ondas Mistas dos Tronos da Fé e da Lei:

1 = crescimento vertical da onda mista magnetizadora-movimentadora desses dois Tronos.

2 = crescimento vertical da onda mista magnetizadora-direcionadora desses dois Tronos.

Signos, Estrela e Ondas Vibratórias do Trono Masculino da Fé e Trono Feminino da Evolução

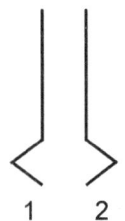

26 - Signos mistos dos Tronos da Fé e da Evolução:

1 e 3 = signos magnetizadores-transmutadores resultantes da fusão da onda magnetizadora dele com a onda transmutadora dela.

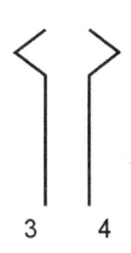

2 e 4 = signo magnetizador-decantador, resultante da fusão da onda magnetizadora dele com a onda transmutadora dela.

5 e 6 = signos magnetizadores-evolutivos, resultantes da fusão da onda magnetizadora dele com as ondas decantadora e transmutadora dela.

Estes signos mistos deles são pedaços de suas ondas vibratórias mistas e podem ser inscritos nos pontos cardeais, nos quadrantes ou do lado de fora dos espaços mágicos, de onde se multiplicam e se irradiam.

27 - Estrela mista, compartilhada pelos Tronos da Fé e da Evolução.

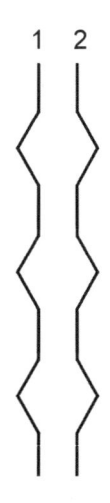

28 - Crescimento Vertical das Ondas Mistas dos Tronos da Fé e da Evolução:

1 = crescimento vertical da onda mista magnetizadora-transmutadora deles.

2 = crescimento vertical da onda mista magnetizadora-decantadora deles.

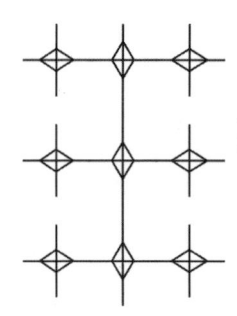

29 - Crescimento Vertical e Horizontal das Ondas desses Tronos.

Símbolo Sagrado do Trono Masculino da Fé

Mandala do Trono da Fé

Trono Feminino da Fé

Ondas Vibratórias, Signos e Símbolos do Trono Feminino da Fé

O Trono Feminino da Fé é uma divindade do tempo, que se irradia através da energia cristalina, e sua energia é estimuladora dos sentimentos religiosos ou de religiosidade.

- Este Trono de Deus polariza-se com o Trono Masculino da Fé e suas irradiações são curvas ou espiraladas, associadas ao tempo e à eternidade.

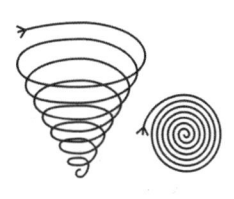

1 - Onda Vibratória Cristalizadora: esta onda vibratória gera e irradia uma energia que cristaliza tudo o que toca, desde as coisas concretas, tais como os projetos ou ideais das pessoas, até seus sentimentos mais íntimos. Ela deve ser inscrita nos espaços mágicos sempre, começando de fora para dentro, e sempre em sentido horário, criando uma espiral plana riscada no solo.

2 - Onda Vibratória Descristalizadora: esta onda vibratória gera e irradia uma energia que consegue anular outras energias, desenergiza e esgota tudo e todos que toca. Ela é inscrita em sentido anti-horário quando forem inscrever em um espaço mágico, formando uma espiral plana sobre o solo.

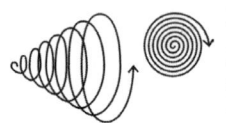

3 - **Onda Vibratória Magnetizadora**: esta onda vibratória gera e irradia uma energia que magnetiza tudo e todos que toca. Ela deve ser inscrita em sentido horário e sua ponta deve estar apontando para baixo.

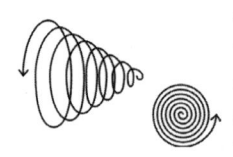

4 - **Onda Vibratória Desmagnetizadora**: esta onda vibratória gera e irradia uma energia que anula o magnetismo de tudo e de todos que toca. Ela deve ser inscrita no sentido anti-horário e sua ponta deve estar apontando para o alto.

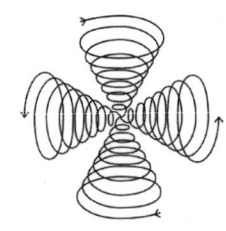

5 - **Cruz Espiralada**: esta cruz é a resultante da fusão das quatro ondas espiraladas. Ela é um símbolo teúrgico da divindade e é capaz de realizar por si só toda uma ação.

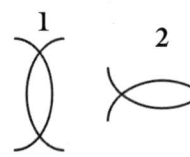

5.1 - **Signos**: estes signos são pedaços das ondas vibratórias dela.

1 - Signo Magnetizador-Desmagnetizador.

2 - Signo Cristalizador-Descristalizador: eles podem ser inscritos nos pontos cardeais, nos quadrantes, no centro ou fora dos espaços mágicos, de onde eles se multiplicam e se irradiam.

6 - **Ondas Vibratórias Raiadas**: estas ondas vibratórias raiadas são mistas e surgem da fusão de suas ondas espiraladas dela com as ondas ígneas do Trono da Justiça Divina.

6.1 - **Onda Cristalizadora-Ígnea**: esta onda gera e irradia uma energia mista, que tanto cristaliza quanto energiza tudo e todos que toca. Ela deve ser inscrita de cima para baixo nos espaços mágicos.

6.2 - Onda Magnetizadora-Ígnea: esta onda gera e irradia uma energia mista, que tanto magnetiza quanto purifica tudo e todos que toca. Ela deve ser inscrita da direita para a esquerda nos espaços mágicos.

6.3 - Onda Desmagnetizadora-Ígnea: esta onda gera e irradia uma energia mista, que tanto desmagnetiza tudo e todos que toca quanto consome as energias que haviam gerado e irradiado. Ela deve ser inscrita da esquerda para a direita dos espaços mágicos.

6.4 - Onda Descristalizadora-Ígnea: esta onda gera e irradia uma energia mista, que tanto descristaliza quanto esgota as energias de tudo e todos que toca. Ela deve ser inscrita de baixo para cima nos espaços mágicos.

7 - Cruz Raiada: esta cruz é um símbolo misto, pois ele surge em função da fusão das ondas vibratórias dela com as do Trono Masculino da Justiça. Este é um símbolo mágico capaz de realizar por si só toda uma ação.

8 - Signos Raiados Mistos: estes signos são pedaços das ondas mistas. São cristalinos-ígneos. Eles podem ser inscritos dentro ou fora dos espaços mágicos de onde se multiplicam e se irradiam.

8.1 - Signo Raiado Cristalizador-Energizador.

8.2 - Signo Raiado Descristalizador-Purificador.

8.3 - Signo Raiado Magnetizador-Energizador.

8.4 - Signo Raiado Desmagnetizador-Desenergizador.

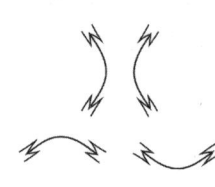

9 - Onda Raiada Dupla: esta onda é a resultante da fusão das ondas dela com as do Trono da Justiça, sendo que sua ponta de cima é seu polo positivo e sua ponta de baixo é seu polo negativo. Ela também pode ser inscrita horizontalmente nos espaços mágicos, de onde se multiplicam e se irradiam.

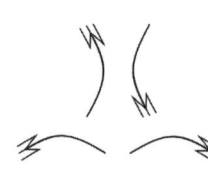

10 - Onda Raiada Tripolar Simples: esta onda tripolar simples gera e irradia uma energia tríplice, pois uma é positiva, uma é neutra e outra é negativa. Ela pode ser inscrita cruzando todo o espaço mágico, dentro ou fora dele, de onde se multiplica e se irradia.

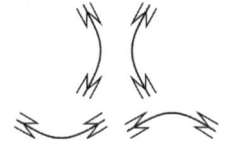

11 - Onda Raiada Bitripolar: esta onda tem dois polos irradiantes, um positivo e outro negativo, e é tripolar porque de cada um dos seus polos gera e irradia uma energia tríplice ou de tripla função.

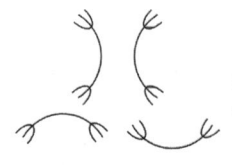

12 - Ondas Simples Tripolares Temporais: estas ondas são puras e são denominadas de tripolares, porque irradiam uma energia com tripla função.

13 - Onda Temporal Bitripolar: esta onda tripolar é dupla ou entrelaçada e irradia-se para cima e para baixo, para a direita e para a esquerda.

14 - Ondas Tripolares Mistas: aqui, temos vários signos ou pedaços de ondas tripolares ou de três polos geradores em suas pontas (polos positivo, neutro e negativo). Estes signos podem ser inscritos nos quadrantes ou nos pontos cardeais dos espaços mágicos, de onde se multiplicam e se irradiam.

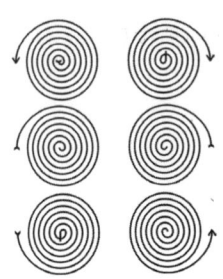

15 - Ondas Vibratórias Espiraladas: estas ondas são as mesmas do início deste capítulo. Quando na ponta delas há uma seta, é porque estão irradiando. Se estiverem inscritas para "dentro", então estão absorvendo energias.

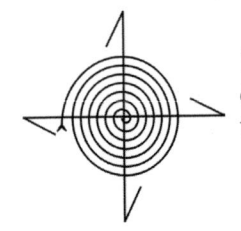

16 - Ponto Riscado: este ponto é um símbolo mágico e é capaz de realizar por si só toda uma ação mágica ou teúrgica, pois é em si mesmo um polo mágico e teúrgico.

Símbolo Sagrado do Trono Feminino da Fé

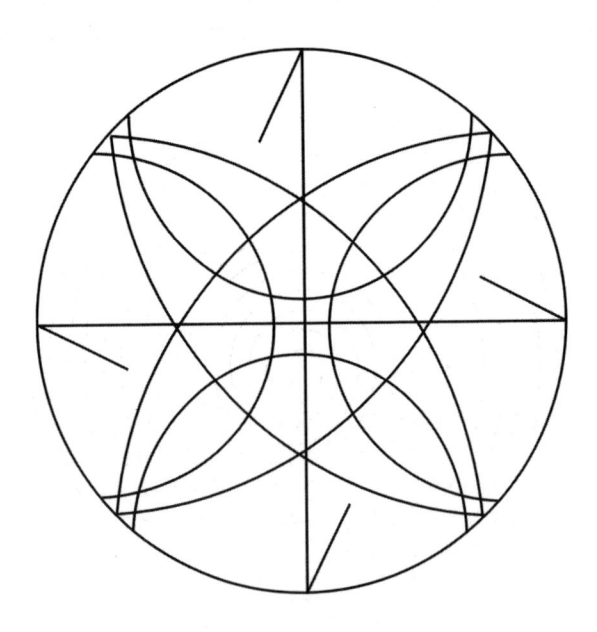

Mandala Raiada do Trono Feminino da Fé

Forma como o magnetismo do Trono Feminino da Fé se Irradia:
Uma onda em espiral entrando e outra saindo.

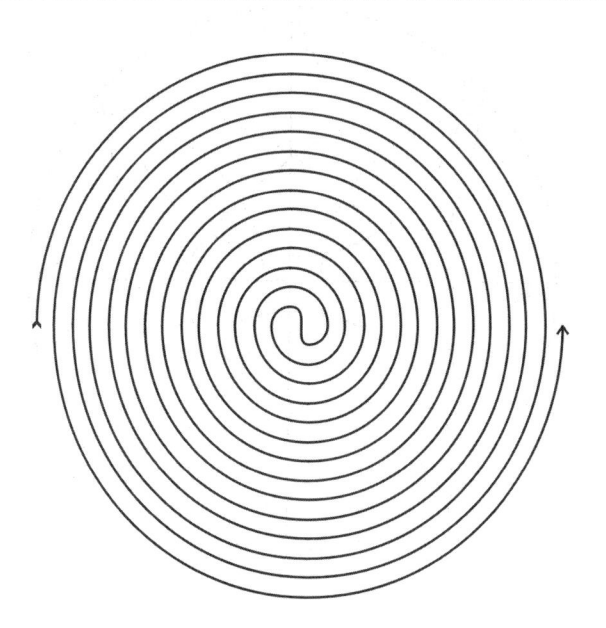

Mandala do Trono Feminino da Fé

Trono Masculino do Amor

Ondas Vibratórias, Signos e Símbolos do Trono Masculino do Amor

O Trono Masculino do Amor irradia-se através de muitos tipos de ondas vibratórias. Mas, aqui, destacaremos três, sendo que uma é diluidora, outra é renovadora e a terceira é conceptiva, pois ele é um Trono do Amor.

1 - Onda Renovadora Atemporal: esta onda gera e irradia uma energia viva capaz de renovar tudo o que ela tocar. Desde os sentimentos até a própria vida dos seres, assim como renova as coisas criadas por Deus, mantendo com isso a perpetuação da obra divina.

2 - Onda Diluidora Atemporal: esta onda gera e irradia uma energia viva capaz de diluir (desagregar) tudo o que tocar. Desde sentimentos negativos até a vida desregrada dos seres viciados. Ela dilui tudo o que desestabiliza a criação divina.

3 - **Onda Agregadora Atemporal:** esta onda entrelaçada gera e irradia uma energia que une ou agrega tudo o que toca. Desde os sentimentos dispersivos de um ser, até os seres separados pelos sentimentos dispersivos.

4 - **Onda Tripolar Agregadora:** esta onda gera e irradia uma energia tripla ou com três qualidades distintas, e que são: diluidora, renovadora e temporal (de tempo). Quando a ativamos magisticamente, ela dilui o negativismo, renova as expectativas e abre um novo tempo na vida dos seres alcançados por ela.

5 - **Onda Temporal:** esta onda gera e irradia uma energia que tanto paralisa o negativismo quanto o dilui ou mesmo abre novas expectativas na vida dos seres alcançados por ela.

6 - **Onda Tripolar Agregadora:** esta onda tripolar gera e irradia três tipos distintos de energias. A onda central neutraliza tudo o que toca; a onda à esquerda desagrega ou dilui tudo o que toca; a onda à direita agrega ou une tudo o que toca.

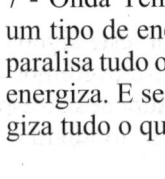

7 - **Onda Temporal Tripolar:** esta onda gera e irradia um tipo de energia que, se irradiada pela onda central, paralisa tudo o que toca. Se irradiada pela onda à direita, energiza. E se irradiada pela onda à esquerda, desenergiza tudo o que toca.

8 - **Onda Renovadora Tripolar:** esta onda gera e irradia um tipo de energia que, se irradiada pela onda central, estabiliza o estado das coisas ou pessoas; se irradiada pela onda à direita, eleva suas vibrações. E, se irradiada pela onda à esquerda, rebaixa as vibrações das coisas ou pessoas.

9 - **Onda Tripolar Diluidora:** esta onda gera e irradia um tipo de energia que, se irradiada pela onda central, neutraliza tudo o que toca. Se irradiada pela onda à direita, desagrega tudo o que tocar. E à esquerda, dilui tudo o que toca.

10 - **Signo Renovador:** este signo é um "pedaço" da onda renovadora. Nós o inscrevemos num dos pontos cardeais ou num dos quadrantes do espaço de onde ele se multiplicará e se irradiará.

11 - **Signo Diluidor:** este signo é um pedaço da onda diluidora. Nós o inscreveremos num dos pontos cardeais ou num dos quadrantes do espaço mágico, de onde ele se multiplicará e se irradiará.

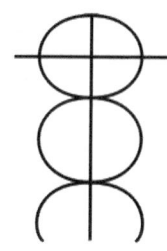

12 - **Signo Agregador:** este signo é um pedaço da onda agregadora. Nós o inscreveremos num dos pontos cardeais ou num dos quadrantes do espaço mágico, de onde ele se multiplicará e se irradiará.

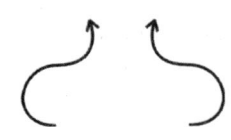

13 - Setas: estas setas são pedaços das ondas diluidora e renovadora. Nós podemos colocar ambas em um mesmo quadrante ou ponto cardeal, ou podemos colocá-las em quadrantes ou pontos cardeais diferentes.

14 - Símbolo do Trono Masculino do Amor: nós inscrevemos este símbolo no centro dos espaços mágicos, de onde ele se multiplicará e se irradiará, ocupando todo o espectro magístico, vertical e horizontalmente.

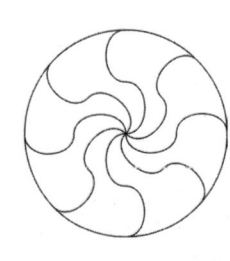

15 - Ponto Riscado Renovador do Trono Masculino do Amor: este ponto é chamado de renovador, porque somente usa sua onda renovadora.

MANDALA DO TRONO MASCULINO DO AMOR: *ESTE PONTO RISCADO É UMA MANDALA PORQUE USA SUAS TRÊS ONDAS.*

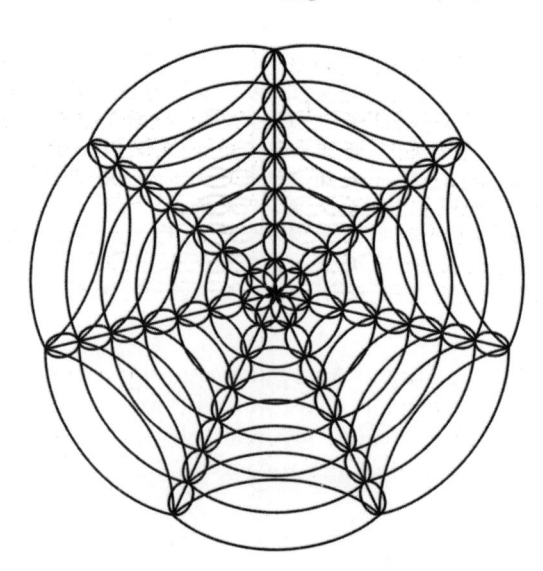

SÍMBOLO SAGRADO AGREGADOR DO TRONO MASCULINO DO AMOR: *ESTE É UM DOS SÍMBOLOS SAGRADOS DO TRONO MASCULINO DO AMOR. MAS ELE POSSUI OUTROS SEIS.*

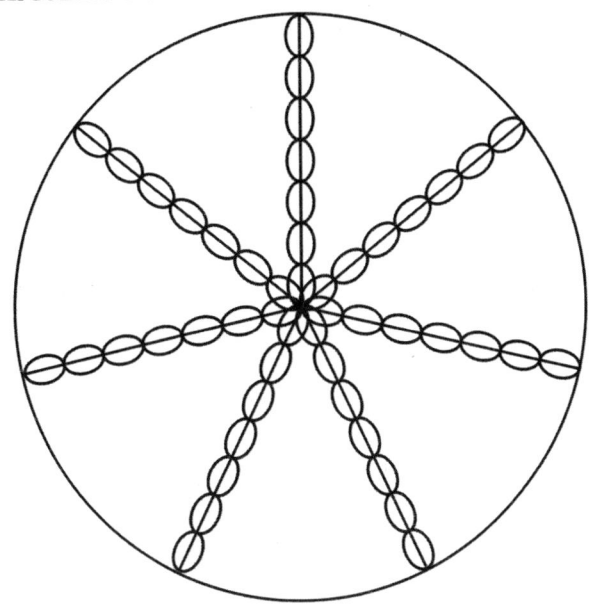

TELA VIBRATÓRIA AGREGADORA DO TRONO MASCULINO DO AMOR: *ESTA É UMA DAS TELAS VIBRATÓRIAS DO TRONO MASCULINO DO AMOR. MAS ELE POSSUI MAIS SEIS.*

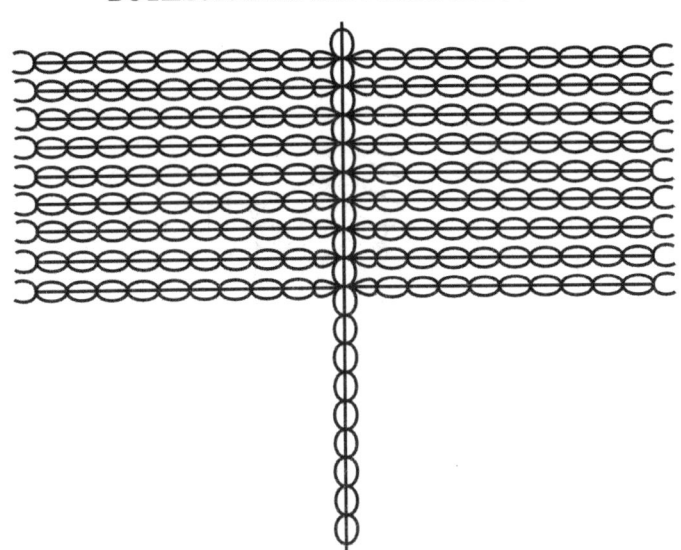

Trono Feminino do Amor

Ondas Vibratórias, Signos e Símbolos do Trono Feminino do Amor

O Trono Feminino do Amor é uma divindade associada ao amor, à maternidade e à concepção da vida.

Ela é o Trono feminino na irradiação do amor, gera em si o fator agregador e o irradia através de dois tipos de ondas vibratórias.

Uma onda é reta e passiva e a outra é curva e ativa.

Sua onda reta é chamada de energizadora e sua onda curva é chamada de conceptiva. A partir dessas suas duas ondas vivas surgem seus signos, suas mandalas, seus pontos riscados, seus talismãs e pentáculos.

Vamos a elas:

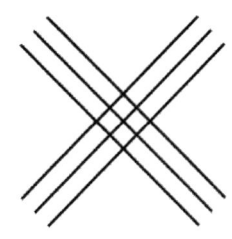

1 - Onda Conceptiva Energizadora: esta onda transporta energia mineral e é usada na magia riscada para energizar pessoas ou os próprios processos mágicos.

2 - Onda Conceptiva: esta onda transporta energia fatoral capaz de "conceber" algo a partir da sua afixação em um espaço mágico, beneficiando pessoas. Também é chamada de onda coronal.

3 - Onda Agregadora: esta onda é a resultante da fusão das ondas energizadora e conceptiva. Riscando-a no espaço mágico, ela tanto energiza como concebe algo novo na vida das pessoas.

4 - Símbolo do Trono Feminino do Amor: este símbolo energizador-conceptivo é um poderoso talismã caso seja gravado em uma chapa de cobre. Agora, se for riscado em um espaço mágico, ele cria um polo eletromagnético poderosíssimo e altamente irradiante, capaz de atuar de várias formas na vida das pessoas.

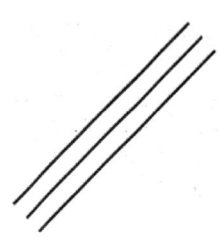

5 - Signo Conceptivo Energizador: este signo é um pedaço da onda vibratória energizadora. É riscado dentro de um dos quadrantes do círculo mágico, onde se multiplica e, ocupando-o totalmente, se irradia a partir dele.

6 - Signo Conceptivo: este signo é um pedaço da onda vibratória conceptiva. É riscado dentro de um dos quadrantes do círculo mágico, onde se multiplica ocupando-o totalmente, formando uma tela vibratória coronal, irradiando-se a partir dela.

7 - Signo Energizador-Conceptivo: este signo é uma fusão dos dois signos anteriores e, quando é riscado em um espaço mágico, irradia-se e realiza a determinação mágica dada na evocação mágica.

8 - Signos Coronais: são pedaços de sua onda vibratória coronal. São "meios corações" e, quando colocados separados em um quadrante do espaço mágico ou na ponta de uma onda mágica ou teúrgica, multiplicam-se e irradiam-se a partir de suas inscrições. O da esquerda é absorvente, e o da direita é irradiante.

9 - Signo Coronal: este signo é mais uma fusão das duas ondas vibratórias e é um poderoso símbolo caso seja gravado em uma chapa de cobre e seja consagrado magisticamente. Quando é inscrito em um espaço mágico, irradia-se e realiza a determinação dada pelo seu ativador.

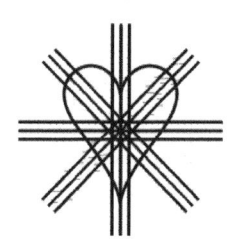

10 - Símbolo Sagrado do Trono Feminino do Amor: este símbolo deve ser riscado no centro de um espaço mágico, pois o ocupará totalmente e criará um polo eletromagnético e irradiante poderosíssimo, capaz de realizar as determinações mágicas dadas pelo mago.

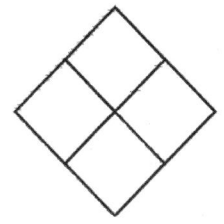

11 - Signo Energizador: este signo é "mineral" e quando riscado em um espaço mágico ou na ponta de uma onda mágica ou teúrgica, multiplica-se a partir dela, energizando-a e irradiando-se todo.

12 - Signo Mineral: este signo é a fusão das ondas retas e coronais. Tanto pode ser riscado na ponta das ondas mágicas ou teúrgicas, como pode ser riscado nos quadrantes do espaço mágico, ocupando-o totalmente.

13 - Signo Agregador: este signo é a fusão das ondas energizadoras e conceptivas. Deve ser riscado na ponta das ondas vibratórias ou nos quadrantes do espaço mágico.

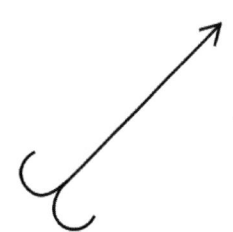

14 - Seta Mineral: este signo direciona as ondas conceptivas dentro do espaço mágico.

Símbolo Sagrado do Trono Feminino do Amor

Mandala do Trono Feminino do Amor: esta mandala, poderosíssima, deve ser ativada para harmonizar lares, famílias ou pessoas. Se for gravada em uma chapa de cobre e for consagrada magisticamente, pode ser usada como pentáculo mágico, capaz de anular acúmulos de energias negativas.

Lembrem-se de que o simples ato de riscar ondas vibratórias, símbolos e signos não ativa nada, pois apenas com o consentimento das divindades os espaços mágicos são ativados ou desativados.

Um mago é um ser que se consagrou diante das divindades e recebeu delas a autorização para ativar magisticamente suas ondas vibratórias, seus símbolos sagrados e seus signos mágicos.

Nós, ao iniciarmos aqui no plano material as pessoas na "magia divina das sete chamas sagradas", a nossa popular "Magia das Velas", realizamos ritos de consagração análogos aos que são realizados no plano espiritual pelos Mestres da Luz, que são espíritos regentes de hierarquias espirituais.

Nessas iniciações espirituais, realizadas nos pontos de forças da natureza, eles consagram religiosa e magisticamente os espíritos que integram as suas correntes espirituais. Só a partir dessas consagrações os espíritos podem incorporar e riscar seus pontos mágicos aqui no plano material.

Pessoas não iniciadas e que não se consagraram às divindades não podem e não devem riscar aleatoriamente os pontos mágicos, pois não receberam a devida outorga para tanto. Mas, caso insistam em riscá-los, então incorrem num dos ditames da lei que diz: "Quem não foi iniciado e não recebeu a outorga dos Tronos, não deve ativá-los através da magia riscada. Mas, caso o façam, então serão totalmente responsáveis por tudo o que acontecer após a ativação dos pontos riscados".

Trono Masculino do Conhecimento

Ondas Vibratórias, Signos e Símbolos do Trono Masculino do Conhecimento

O Trono Masculino do Conhecimento é a divindade de Deus que estimula o aprendizado nos seres e está associado ao raciocínio e ao conhecimento vivo de Deus, pois é seu gerador e irradiador natural.

Como todas as divindades, Oxossi possui mais de uma onda vibratória. Aqui, limitaremo-nos a três delas, seus símbolos e signos:

— Onda Direcionadora
— Onda Energizadora
— Onda Racionalizadora

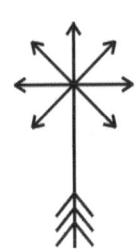

1 - Onda Vegetal Direcionadora: esta onda vibratória sétupla gera e irradia uma energia vegetal que, quando absorvida pelos seres, dá a eles o sentido reto de direção, seja em suas evoluções, ascensões ou sentimentos.

2 - **Onda Vegetal Energizadora**: esta onda vibratória "canicular" gera e irradia uma energia vegetal que, quando absorvida pelos seres, tanto os energizam como os curam mental e fisicamente.

3 - **Onda Vegetal Racionalizadora**: esta onda racionalizadora gera e irradia uma energia que, quando absorvida pelos seres, fortalece suas faculdades mentais e aguça o raciocínio, mas se apontada para baixo, atua em sentido inverso e é capaz de bloquear as faculdades mentais e o raciocínio dos seres adeptos de procedimentos negativos, podendo, até, dementá-los. Por isto, essas ondas são tão temidas pelo baixo astral.

4 - **Seta Vegetal**: esta onda vibratória, se inscrita com uma aleta no seu início, é direcionadora; se inscrita com duas aletas no seu início, é orientadora; se inscrita com três, é racionalizadora.

5 - **Onda Vegetal Mista**: quando atua no tempo, irradia-se nessa sua onda vegetal temporal. Sendo que a onda reta central paralisa os sentidos ou os sentimentos dos seres. A onda curva à direita os estimula, e a onda curva à esquerda os desestimula.

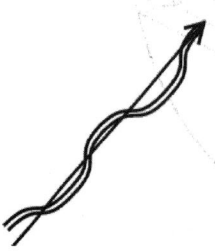

6 - **Onda Energizadora-Racionalizadora**: esta onda dupla gera e irradia uma energia mista e que tanto pode curar quanto pode energizar e racionalizar os seres dementados.

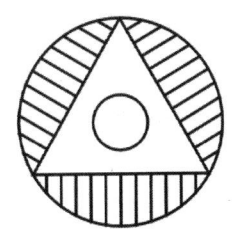

7 - **Símbolo Sagrado do Trono Masculino do Conhecimento:** este símbolo energiza e racionaliza o mental dos seres.

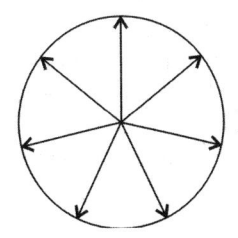

8 - **Ponto Riscado Direcionador:** este ponto riscado é um polo eletromagnético direcionador.

Mandala do Trono Masculino do Conhecimento

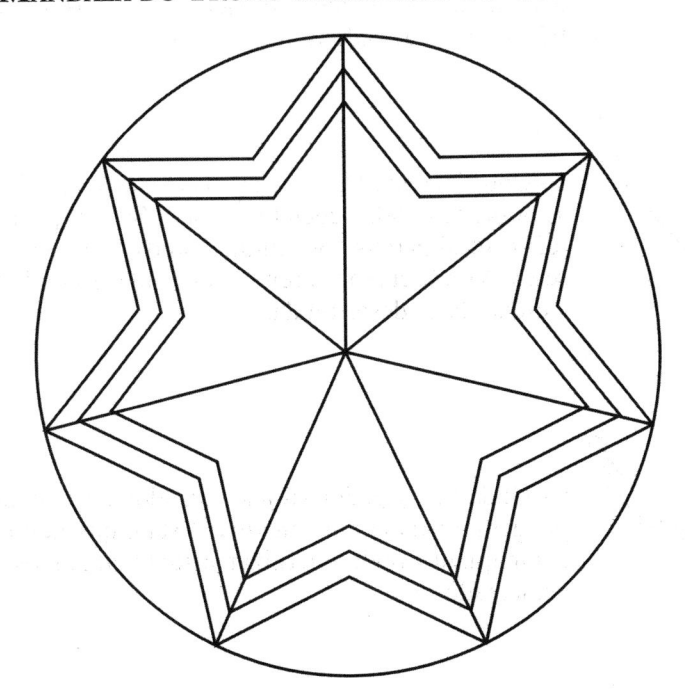

Símbolo Sagrado do Trono Masculino do Conhecimento

Crescimento Horizontal da Onda Racionalizadora do Trono Masculino do Conhecimento

Trono Feminino do Conhecimento

Ondas Vibratórias, Signos e Símbolos do Trono Feminino do Conhecimento

O Trono Feminino do Conhecimento é uma divindade que atua através do raciocínio dos seres, ora os afixando em um sentido ou direção, ora os concentrando mentalmente, sempre visando o benefício de todos. Ela possui várias ondas vibratórias das quais mostraremos algumas.

1 - Onda Afixadora: esta onda vibratória gera e irradia uma energia que afixa tudo e todos em que tocar.

2 - Onda Concentradora: esta onda vibratória gera e irradia uma energia que concentra tudo e todos em que tocar.

3 - Onda Concentradora-Afixadora: esta onda mista gera e irradia energias que tanto concentram o raciocínio dos seres, quanto os afixa em uma direção, sentido, faculdade ou linha evolutiva.

4 - Onda Tripolar: esta onda, formada por três ondas simples, gera e irradia uma energia composta e que, quando absorvida pelos seres, tanto os concentra, como os afixa e os energiza, pois a onda reta é transportadora de uma energia telúrica que fortalece o mental, o raciocínio e as faculdades.

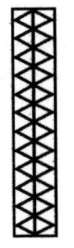

5 - Onda Expansora: esta onda vibratória gera e irradia uma energia que expande tudo o que tocar.

6 - Seta Telúrica: esta onda vibratória é a seta dela, se estiver apontando para cima estará enviando energias afixadoras, concentradoras e condensadoras. Mas, caso esteja apontada para baixo, aí sua atuação é em sentido inverso e desconcentra, desenergiza e desestabiliza o raciocínio, a mente e a faculdade dos seres.

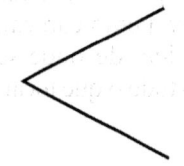

7 - Signo Concentrador: este signo substitui a onda vibratória concentradora da qual é um pedaço. Ele pode ser inscrito em um dos pontos cardeais ou em um dos quadrantes do espaço mágico, de onde ele se multiplicará e se irradiará.

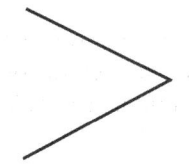

8 - Signo Afixador: este signo substitui a onda vibratória afixadora, da qual ele é um pedaço. Pode ser inscrito em um dos pontos cardeais ou em um dos quadrantes do espaço mágico, de onde se multiplicará e se irradiará.

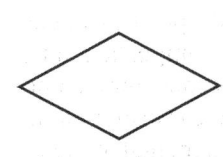

9 - Signo Duplo: este "losângulo" é a junção dos dois signos anteriores, "pedaços" das suas ondas vibratórias concentradora e afixadora. Ele tanto pode ser colocado nos pontos cardeais, nos quadrantes mágicos ou no centro do espaço mágico, chamando para si toda a ação que ocorrer onde foi inscrito.

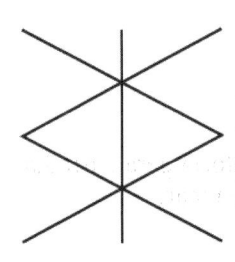

10 - Signo Tripolar: este signo é um pedaço da onda tripolar e pode ser inscrito em um ponto cardeal, em um quadrante mágico ou no centro do espaço mágico, pois desde onde ele for inscrito, multiplicar-se-á e se irradiar-se-á.

11 - Signo Telúrico: este signo é, na verdade, uma onda vibratória telúrica pura. Ela tanto pode ser inscrita em um ponto cardeal, quadrante ou centro do espaço mágico.

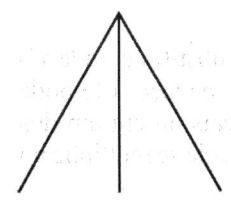

12 - Signo Energizador: este signo é um pedaço da onda expansora. Ele pode ser inscrito em um ponto cardeal, ou em um quadrante do espaço mágico, de onde se multiplicará e se irradiará, energizando tudo o que tocar.

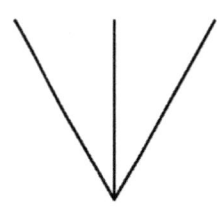

13 - Signo Desenergizador: este signo é um pedaço da onda expansora. Ele pode ser inscrito em um ponto cardeal ou quadrante mágico, de onde se multiplicará e se irradiará, desenergizando tudo o que tocar.

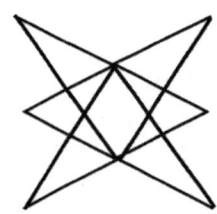

14 - Estrela do Trono Feminino do Conhecimento.

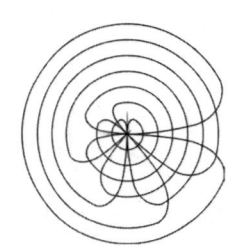

15 - Ponto Riscado do Trono Feminino do Conhecimento.

SÍMBOLO SAGRADO DO TRONO FEMININO DO CONHECIMENTO

Mandala Telúrica do Trono Feminino do Conhecimento

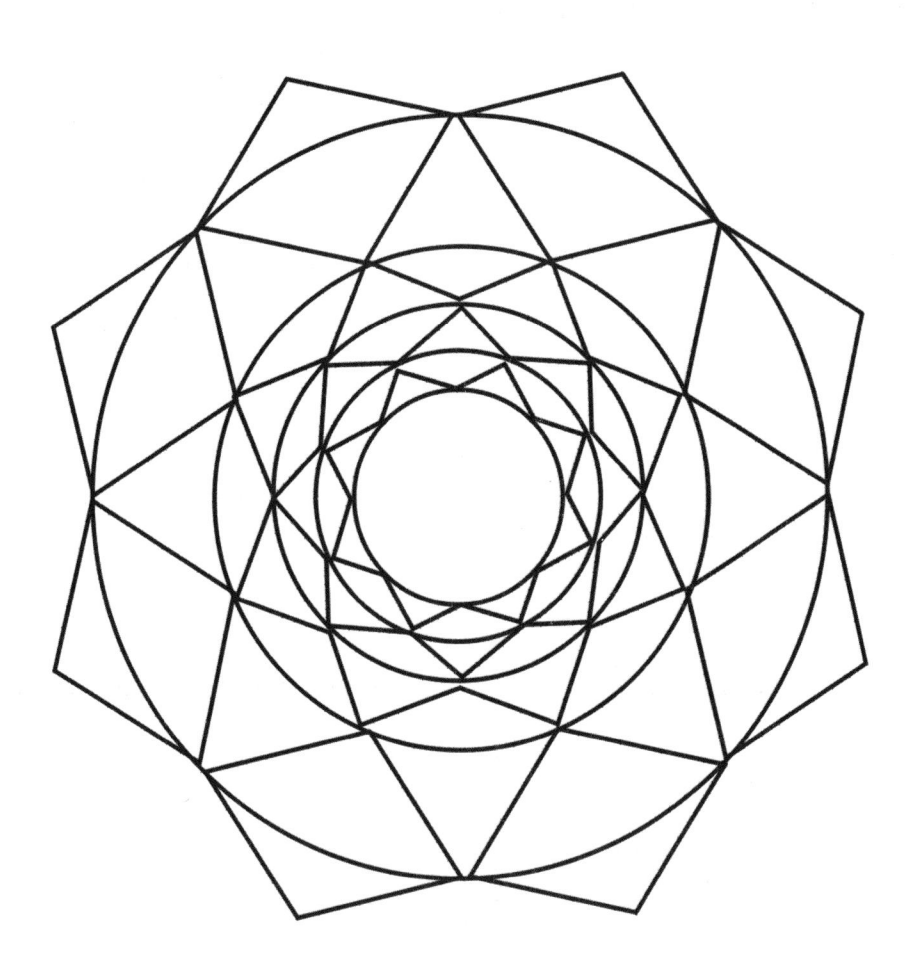

Trono Masculino da Justiça

Ondas Vibratórias, Signos e Símbolos do Trono Masculino da Justiça

O Trono Masculino da Justiça é a divindade que atua como equilibrador da criação e dos seres. Ele possui várias ondas vibratórias, mas aqui só mostraremos algumas.

1 - Onda Energizadora: esta onda gera e irradia uma energia que fortalece os seres, devolvendo-lhes o equilíbrio mental, consciencial e emocional.

2 - Onda Purificadora: esta onda gera e irradia uma energia que purifica todo o negativismo existente em quem ou onde tocar.

3 - **Onda Graduadora:** esta onda gera e irradia uma energia que "gradua" as vibrações mentais, conscienciais e emocionais dos seres, devolvendo a cada um o seu ponto de equilíbrio vibratório.

4 - **Onda Equilibradora:** esta onda é formada pela fusão das três ondas anteriores. Ela gera uma energia composta que energiza, purifica e gradua tudo e todos em que tocar.

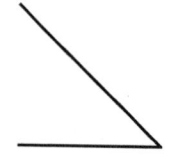

5 - **Signo Energizador:** este signo é um "pedaço" da onda energizadora. Ele pode ser inscrito em um dos pontos cardeais ou em um dos quadrantes do espaço mágico, de onde se multiplicará e se irradiará.

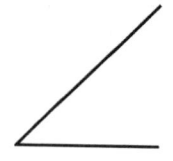

6 - **Signo Purificador:** este signo é um "pedaço" da onda purificadora. Ele pode ser inscrito em um dos quadrantes ou um dos pontos cardeais do espaço mágico, de onde se multiplicará e se irradiará.

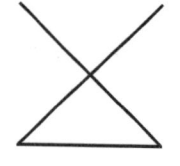

7 - **Signo Purificador-Energizador:** este signo é a fusão de pedaços de duas ondas vibratórias. Ele pode ser inscrito nos pontos cardeais ou nos quadrantes do espaço mágico, de onde se multiplicará e se irradiará.

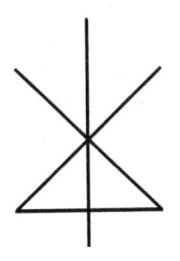

8 - Signo Equilibrador: este signo é a fusão de pedaços das três ondas aqui mostradas. Ele pode ser inscrito nos pontos cardeais ou nos quadrantes dos espaços mágicos, de onde se multiplicará e se irradiará.

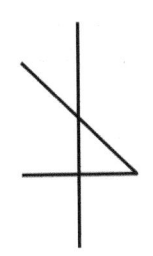

9 - Signo Graduador-Energizador: este signo é a fusão de "pedaços" das ondas graduadora e energizadora. Ele pode ser inscrito nos pontos cardeais ou nos quadrantes dos espaços mágicos, de onde se multiplicará e se irradiará.

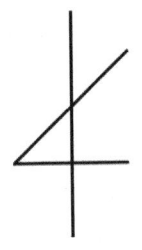

10 - Signo Graduador-Purificador: este signo é a fusão de "pedaços" das ondas graduadora e purificadora. Ele pode ser inscrito nos pontos cardeais ou nos quadrantes dos espaços mágicos, de onde se multiplicará e se irradiará.

11 - Signo Graduador: este signo graduador gera e irradia uma energia composta muito poderosa. Ele pode ser inscrito nos pontos cardeais ou nos quadrantes dos espaços mágicos, de onde se multiplicará e se irradiará.

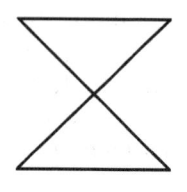

12 - Onda Dupla Energizadora-Purificadora: esta onda é formada pela fusão das ondas energizadora e purificadora. Aqui, apenas inscreveremos um pedaço dela, que pode ser inscrito em um dos pontos cardeais, em um dos quadrantes ou no centro do espaço mágico, chamando para si toda a ação realizada nele.

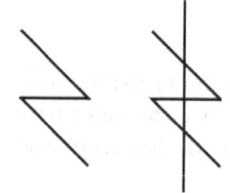

13 - Pedaço de Onda Energizadora: aqui, temos um pedaço da onda energizadora e outro pedaço dela, mais a onda graduadora. São dois signos muito usados nos pontos riscados. Eles são inscritos nos pontos cardeais ou nos quadrantes dos espaços mágicos, de onde se multiplicam e se irradiam.

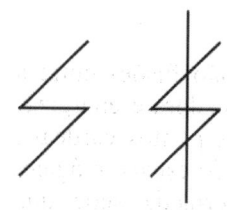

14 - Pedaço de Onda Purificadora: aqui, temos um pedaço da onda purificadora e outro dela fundida com a sua onda graduadora. São dois signos muito usados nos pontos riscados. Eles são inscritos nos pontos cardeais ou nos quadrantes dos espaços mágicos, de onde se multiplicam e se irradiam.

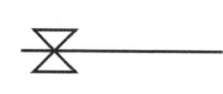

15 - Símbolo Sagrado: este símbolo é a fusão das ondas purificadora, energizadora e graduadora. Ele pode ocupar o centro, um dos quadrantes ou um dos pontos cardeais, de onde se multiplica e se irradia.

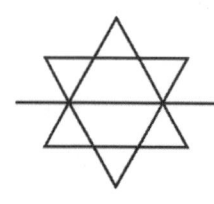

16 - Símbolo Equilibrador: este símbolo surge naturalmente caso multipliquemos as ondas de xangô e formemos uma tela vibratória. Então, para dar-lhe a qualidade equilibradora, basta dividi-lo horizontalmente com a onda graduadora. Ele pode ser inscrito em um dos quadrantes, nos pontos cardeais ou no centro do espaço mágico, de onde se multiplica e se irradia.

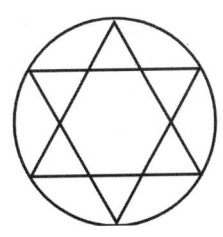

17 - Símbolo Sagrado: é a "estrela" do equilíbrio. Símbolo este que surge naturalmente caso desenhem uma tela vibratória do Trono Masculino da Justiça. Ele pode ser inscrito tanto no centro de um espaço mágico, como pode ser inscrito separadamente pois, por ser um símbolo sagrado, é poderosíssimo.

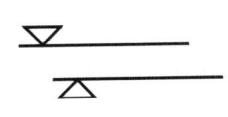

18 - Signos Mistos: estes signos são uma separação do símbolo número 15. Eles podem ser inscritos dentro ou fora dos espaços mágicos, de onde se multiplicam e se irradiam.

19 - Signos Ígneos: estes signos são fusões entre a onda graduadora e as ondas purificadora e energizadora. Eles podem ser inscritos nos pontos cardeais, nos quadrantes mágicos ou à volta do espaço mágico, onde são firmados como defesa externa das ações que estarão acontecendo dentro dele, pois se multiplicam e se irradiam por "fora".

20 - Ponto Riscado ou Mandala Purificadora: poderosíssimo, pois é formado por ondas vibratórias teúrgicas ígneas que purificam tudo o que tocam.

Mandala do Trono Masculino da Justiça

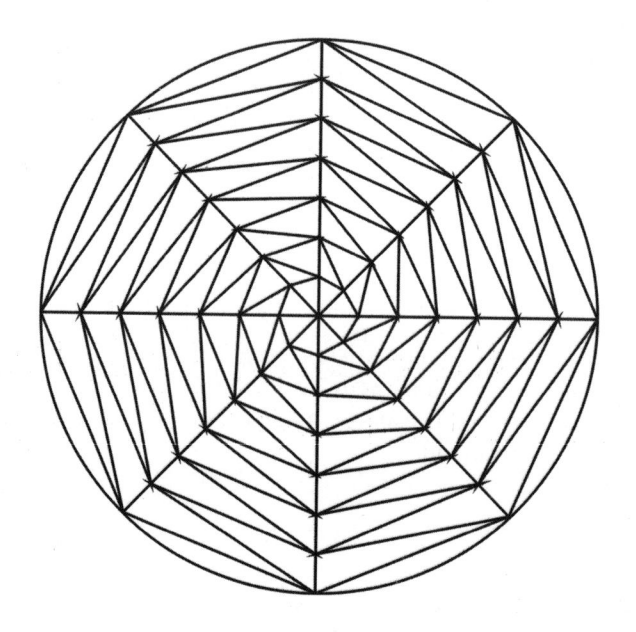

Símbolo Sagrado do Trono Masculino da Justiça

Trono Feminino da Justiça

Ondas Vibratórias, Signos e Símbolos do Trono Feminino da Justiça

O Trono Feminino da Justiça é uma divindade que atua em toda a criação como purificadora dos desequilíbrios, sejam eles energéticos ou conscienciais. Ela forma um par com o Trono Masculino da Justiça e seu primeiro elemento é o ígneo. O fogo é o meio por onde ela atua.

1 - Onda Consumidora do Trono Feminino da Justiça: esta onda vibratória ígnea raiada é temidíssima, pois ela consome mesmo tudo o que toca e ainda alimenta-se e cresce a partir do que está consumindo. Ela tanto pode ser inscrita apenas em um dos pontos cardeais, como pode cruzar todo o espaço mágico formando uma onda teúrgica.

2 - Onda Energizadora: esta onda vibratória raiada gera e irradia uma energia ígnea densa e de alta vibração. Fato este que a torna temida pelos seres do baixo astral, pois eles são de baixa vibração mental e são "negativos".

3 - **Onda Graduadora**: esta onda é reta, gera energia ígnea e vai condensando-a à sua volta. Quando ela toca em algo ou alguém, consome suas energias negativas e o energiza com sua energia positiva, graduando as coisas ou os sentimentos dos seres. Também chamamos esta onda de "condensadora".

4 - **Onda Equilibradora**: esta onda é a fusão das três ondas anteriores e gera uma energia composta e que, quando é absorvida pelos seres, consome todos os seus negativismos, purificando-os e inundando-os com uma energia ígnea altamente vibrante.

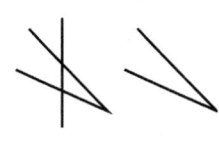

5 - **Signos consumidores**: estes são "pedaços" das ondas graduadora e consumidora no primeiro signo. Já no segundo, é um pedaço da onda consumidora. Eles podem ser inscritos em um dos quadrantes, em um ponto cardeal ou em qualquer onda mágica ou teúrgica inscrita no espaço mágico.

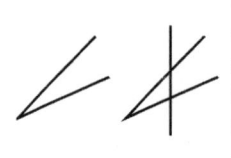

6 - **Signos Energizadores**: o primeiro signo é um "pedaço" da onda energizadora. O segundo é uma fusão das ondas energizadora e graduadora. Eles podem ser inscritos nos pontos cardeais, nos quadrantes ou nas ondas vibratórias mágicas e teúrgicas inscritas nos espaços mágicos.

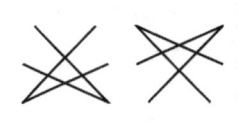

7 - **Signo Consumidor-Energizador**: estes signos são pedaços da fusão das ondas consumidora e energizadora. Se estiverem inscritos com os vértices para baixo, enviarão energias ígneas. Mas se estiverem inscritos com os vértices para cima, retirarão toda a energia ígnea e o consequente poder de tudo o que tocarem. Eles podem ser inscritos nos pontos cardeais, nos quadrantes mágicos, na ponta ou no meio das ondas mágicas ou teúrgicas inscritas nos espaços mágicos.

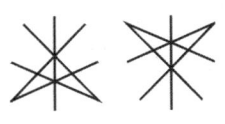

8 - Signos Equilibradores: estes signos são pedaços da sua onda equilibradora. A posição (para cima ou para baixo) determina suas atividades quando são inscritos, equilibrando ou desequilibrando tudo o que tocarem. Eles podem ser inscritos nos pontos cardeais, nos quadrantes ou nas ondas mágicas e teúrgicas inscritas nos espaços mágicos.

9 - Símbolo Sagrado: esta estrela forma-se quando inscrevemos as duas ondas vibratórias raiadas. À medida que elas vão crescendo, vão formando esta estrela ígnea, que é um símbolo teúrgico. Ela pode ser inscrita nos pontos cardeais, nos quadrantes mágicos ou, preferencialmente, no centro dos espaços mágicos, mas também pode ser inscrita isoladamente, pois, por ser um símbolo sagrado, realiza por si só as determinações mágicas.

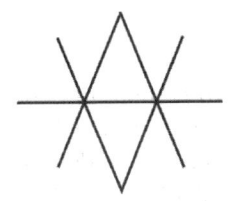

10 - Signo Composto: este símbolo é a fusão das três ondas vibratórias. Ele pode ser inscrito no centro ou nos quadrantes dos espaços mágicos.

11 - Símbolo Sagrado: este símbolo sagrado é, em si, um espaço mágico poderosíssimo, pois é a inscrição vertical e horizontal das três ondas vibratórias dele.

12 - Ponto Riscado: esta mandala pura é formada pela inscrição de ondas mágicas consumidoras. Mas podem inscrevê-la com ondas energizadoras, condensadoras ou fundi-las, inscrevendo-a com sua onda equilibradora.

MANDALA DO TRONO FEMININO DA JUSTIÇA

Símbolo Sagrado do Trono Feminino da Justiça

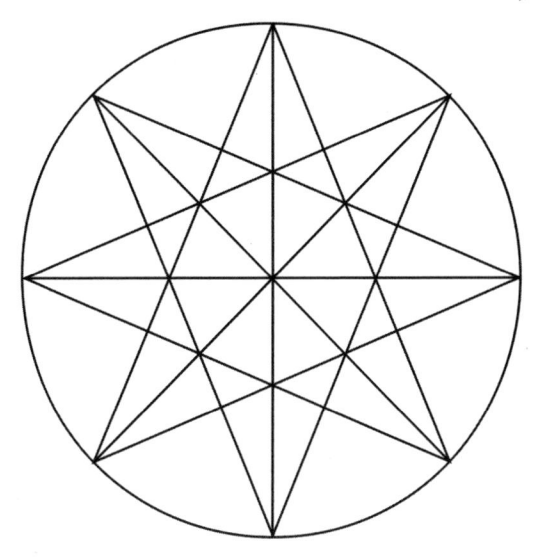

Mandala do Trono Feminino da Justiça

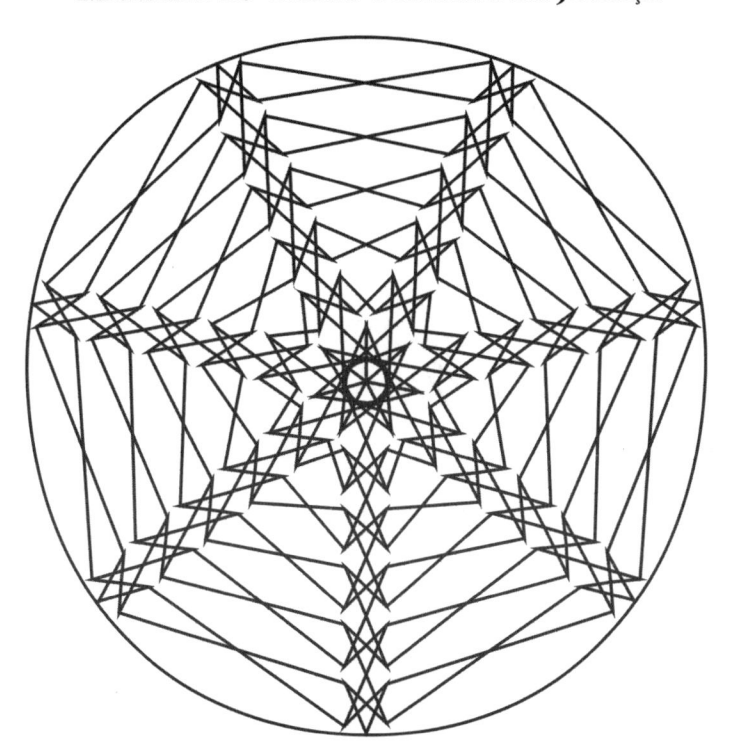

Trono Masculino da Lei

Ondas Vibratórias, Signos e Símbolos do Trono Masculino da Lei

O Trono Masculino da Lei é uma divindade associada à lei, às demandas e à guerra, porque é o Trono de Deus, responsável pela ordenação da criação divina.

Ele é, em si, a potência ordenadora do divino Criador e gera e irradia de si ondas vibratórias e um magnetismo que tanto potencializam quanto ordenam tudo o que tocam.

O magnetismo dele ordena desde a multiplicação celular até o movimento celeste dos astros. Ordena desde a reprodução das espécies até o surgimento de novas estrelas, constelações ou galáxias.

Enfim, Ele é o ordenador divino e o potencializador do magnetismo de tudo o que Deus criou, inclusive do magnetismo das outras divindades.

O seu elemento primário é o eólico e é através do "ar" que ele atua sobre a criação divina.

1 - Onda Reta Ordenadora do Trono Masculino da Lei: esta onda vibratória gera e irradia uma energia que ordena tudo o que toca. Ela deve ser inscrita "teurgicamente", ou cruzando todo o espaço mágico, de onde se multiplicará e se irradiará.

2 - Onda Potencializadora: esta onda vibratória gera e irradia uma energia que dá potência a tudo o que toca. Ela é sétupla e forma, quando inscrita, as famosas sete lanças. Ela pode ser inscrita em um dos pontos cardeais ou em um dos quadrantes do espaço mágico, de onde ela se multiplicará e se irradiará.

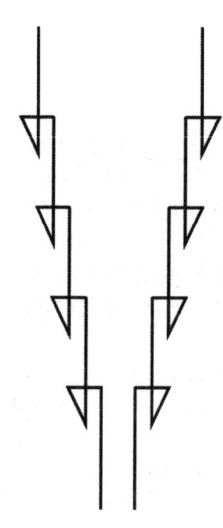

3 - Onda Cruzada ou Mista: esta onda vibratória gera e irradia uma energia "cortante". Ela é a poderosa "espada" da lei, pois é uma onda que, ao tocar em algo, vai partindo (cortando) esse algo em pedaços cada vez menores. Os seres trevosos sabem que quando esta onda, irradiada naturalmente pelos espíritos portadores da espada da lei, voltar-se contra eles com certeza serão partidos em mil pedaços. Ela deve ser inscrita nos pontos cardeais ou nos quadrantes mágicos, de onde se multiplicará e se irradiará.

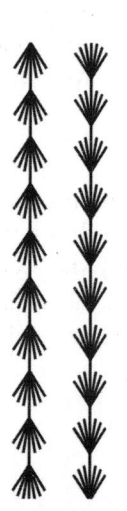

4 - Crescimento Natural da Onda Potencializadora: esta onda cresce desta forma. Mas cada uma das seis pontas também cresce e, quando estão hiperenergizadas, também multiplicam-se por novas "sete lanças", formando a tela vibratória potencializadora do Trono Masculino da Lei.

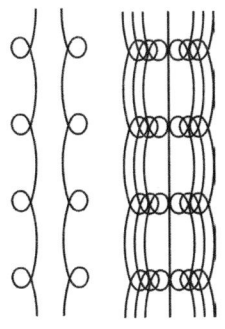

5 - Onda Direcionadora do Trono Masculino da Lei: esta onda, muito parecida com a do Trono Feminino da Lei, é a resultante da fusão da onda ordenadora dele com as ondas movimentadora e direcionadora dela. Ela gera e irradia uma energia que potencializa as direções que ele imprime aos seres.

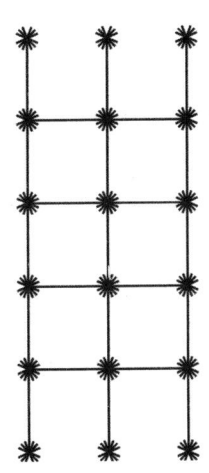

6 - Tela ordenadora Potencializadora do Trono Masculino da Lei: esta tela é formada a partir do crescimento das ondas dele. Nos cruzamentos apenas são mostrados os seus polos irradiantes. Mas, na verdade, todas as pequenas ondas crescem e se interligam, ocupando todo o espectro da criação divina.

7 - Onda Vibratória Potencializadora: aqui é mostrada a onda potencializadora completa em seu fluir natural, sempre vertical. Ela potencializa tudo e todos em que tocar.

8 - Onda Vibratória Estabilizadora do Trono Masculino da Lei: ela é idêntica à onda anterior, mas seu fluir natural é horizontal. Ela estabiliza tudo e todos em que tocar.

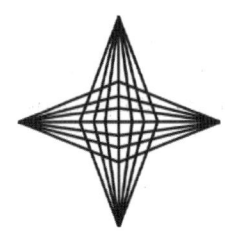

9 - Cruz Estrelada: esta onda é a resultante da fusão das ondas potencializadora e estabilizadora e tanto potencializa quanto estabiliza tudo e todos em que tocar. Ela é um símbolo teúrgico capaz de, por si só, realizar toda uma ação magística, mas pode ser inscrita no centro de um círculo mágico.

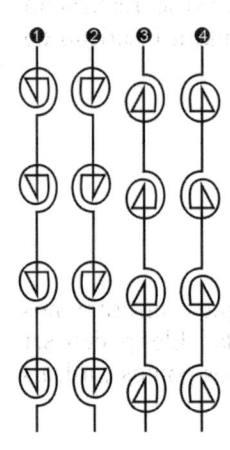

10 - Ondas Temporais: estas ondas são as resultantes das fusões da onda ordenadora dele com as ondas espiraladas do Trono Feminino da Fé.

1= fusão da onda ordenadora dele com a onda magnetizadora dela.

2= fusão da onda ordenadora dele com a onda desmagnetizadora dela.

3= fusão da onda ordenadora dele com a onda cristalizadora dela.

4= fusão da onda ordenadora dele com a onda descristalizadora dela.

Estas ondas são teúrgicas e devem ser inscritas cruzando todo o espaço mágico nos sentidos vertical ou horizontal em que aqui são mostradas.

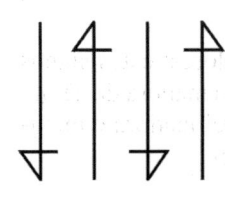

11 - Signos Ordenadores: estes signos são pedaços da onda cruzada. Eles podem ser inscritos nos quadrantes, nos pontos cardeais ou do lado de fora dos espaços mágicos, de onde se multiplicam e se irradiam.

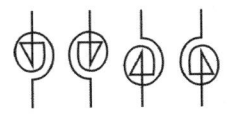

12 - Signos Mistos: estes signos são pedaços das ondas mistas dos Tronos Masculino da Lei e Feminino da Fé.

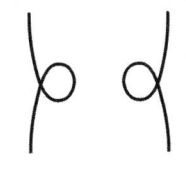

13 - Signos Direcionadores: estes signos são pedaços das ondas mistas dos Tronos da Lei.

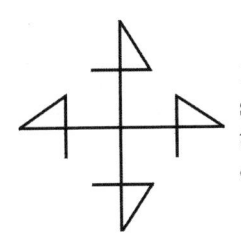

14 - Signos Ordenadores: estes signos formam um símbolo teúrgico e são capazes de, por si só, realizarem toda uma ação magística, dispensando a inscrição do círculo mágico.

15 - Signos Ordenadores: estes signos, inscritos nos sentidos inclinados, formam a "espada". Eles podem ser inscritos em um dos quadrantes ou nos pontos cardeais dos espaços mágicos.

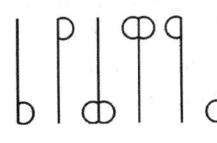

16 - Signos Ordenadores-Direcionadores: estes signos são as resultantes da fusão da onda ordenadora do Trono Masculino da Lei com as ondas direcionadora e movimentadora do Trono Feminino da Lei.

Estrela do Trono Masculino da Lei.

Mandala do Trono Masculino da Lei

TRONO FEMININO DA LEI

ONDAS VIBRATÓRIAS, SIGNOS E SÍMBOLOS DO TRONO FEMININO DA LEI

O Trono Feminino da Lei é a divindade regente da lei, cujo elemento (o ar) é igual ao do Trono Masculino da Lei, e cujo segundo elemento natural (o fogo) a polariza com o Trono Masculino da Justiça.

Mas o seu ar tanto está no fogo como está na água, no vegetal, etc., tornando-a indispensável a todas as outras divindades.

Suas ondas vibratórias igualam-se às do Trono Masculino da Lei no número delas, já que ela também é uma divindade da Lei Maior que atua em todos os níveis da criação como uma de suas ordenadoras.

Aqui apenas mostraremos algumas de suas ondas vibratórias, alguns signos e símbolos.

Vamos a eles:

1 - Onda Movimentadora do Trono Feminino da Lei: esta onda vibratória espiralada gera e irradia uma energia eólica que põe em movimento tudo o que toca.

2 - Onda Direcionadora: esta onda vibratória espiralada gera e irradia uma energia eólica que direciona tudo o que toca.

3 - **Onda Ordenadora**: esta onda gera e irradia uma energia que ordena tudo e todos em que toca, e é, em si mesma, capaz de realizar toda uma ação, pois é uma onda teúrgica.

4 - **Onda Dupla ou Atemporal**: esta onda atemporal é a resultante da fusão ou entrelaçamento das suas ondas movimentadora e direcionadora, e é, em si, uma onda vibratória teúrgica, capaz de realizar toda uma ação por si só.

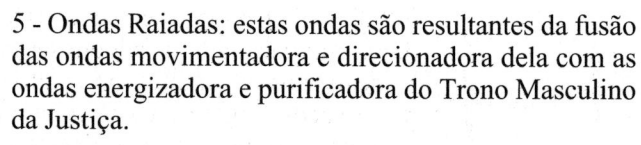

5 - **Ondas Raiadas**: estas ondas são resultantes da fusão das ondas movimentadora e direcionadora dela com as ondas energizadora e purificadora do Trono Masculino da Justiça.

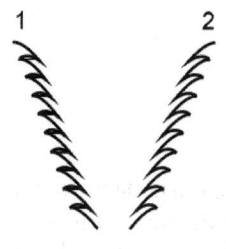

1 - esta onda raiada é resultante da fusão da onda movimentadora dela com a onda energizadora dele. Ela energiza e põe em movimento tudo e todos em que tocar, e pode ser inscrita cruzando todo o espaço mágico ou delimitando seus quadrantes, pois é uma onda teúrgica mista dos Tronos da Lei e da Justiça.

2 - esta onda raiada é resultante da fusão da onda direcionadora dela com a onda purificadora dele. Ela purifica e direciona tudo e todos em que tocar e pode ser inscrita cruzando todo o espaço mágico ou delimitando os seus quadrantes, pois é uma onda teúrgica mista dos Tronos Feminino da Lei e Masculino da Justiça.

6 - **Signos Movimentadores**: estes signos são pedaços da onda movimentadora e podem ser inscritos nos pontos cardeais, nos quadrantes ou do lado de fora dos espaços mágicos, de onde se multiplicam e se irradiam.

7 - Signos Direcionadores: estes signos são pedaços da onda direcionadora e podem ser inscritos nos pontos cardeais, nos quadrantes ou do lado de fora dos espaços mágicos, de onde se multiplicam e se irradiam.

8 - Signo Ordenador: este signo é um pedaço da onda ordenadora e pode ser inscrito nos pontos cardeais, nos quadrantes ou do lado de fora dos espaços mágicos, de onde se multiplicam e se irradiam.

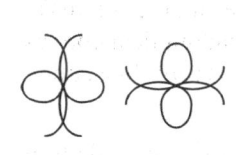

9 - Signos Duplos: estes signos são pedaços da onda dupla entrelaçada. Eles podem ser inscritos nos pontos cardeais, nos quadrantes, no centro ou do lado de fora dos espaços mágicos, assim como podem ser inscritos isoladamente, pois são teúrgicos e capazes de realizar, por si só, toda uma ação.

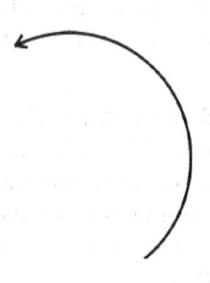

10 - Seta Movimentadora: este signo é um pedaço da sua onda movimentadora e pode ser inscrito nos quadrantes ou do lado de fora dos espaços mágicos, de onde se multiplica e se irradia.

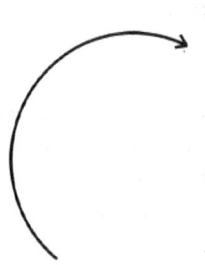

11 - Seta Direcionadora: este signo é um pedaço da sua onda direcionadora e pode ser inscrito nos quadrantes ou do lado de fora dos espaços mágicos, de onde se multiplica e se irradia.

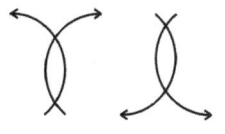

12 - Onda Dupla: esta onda dupla é um pedaço das ondas atemporais dela e pode ser inscrita nos pontos cardeais, nos quadrantes ou do lado de fora dos espaços mágicos, de onde se multiplica e se irradia.

13 - Signo Atemporal: este signo é um pedaço da onda atemporal ou entrelaçada. Ele pode ser inscrito nos pontos cardeais, nos quadrantes ou do lado de fora dos espaços mágicos, de onde se multiplica e se irradia.

14 - Signos Raiados: estes signos são pedaços da fusão das ondas dela com as do Trono Masculino da Justiça. Eles podem ser inscritos nos quadrantes, nos pontos cardeais ou do lado de fora dos espaços mágicos, de onde se multiplicam e se irradiam.

15 - Signo Raiado Movimentador: este signo é um pedaço da onda mista dela e dele. Ele pode ser inscrito nos pontos cardeais ou nos quadrantes dos espaços mágicos, de onde se multiplica e se irradia.

16 - Signo Raiado Direcionador: este signo é um pedaço da onda mista dela e dele. Ele pode ser inscrito nos pontos cardeais ou nos quadrantes dos espaços mágicos, de onde se multiplica e se irradia.

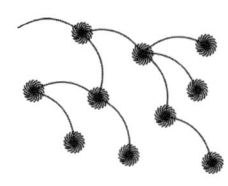

17 - Crescimento da Onda Ordenadora: esta onda, em cada polo eletromagnético, irradia-se em vinte e uma novas ondas, sendo que cada uma irá crescer até sobrecarregar-se energéticamente e explodir em nova multiplicação geométrica.

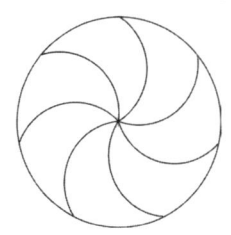

18 - Ponto Riscado em Espiral ou Mandala Direcionadora do Trono Feminino da Lei.

19 - Ponto Riscado em Raios ou Mandala Mista Raiada do Trono Feminino da Lei.

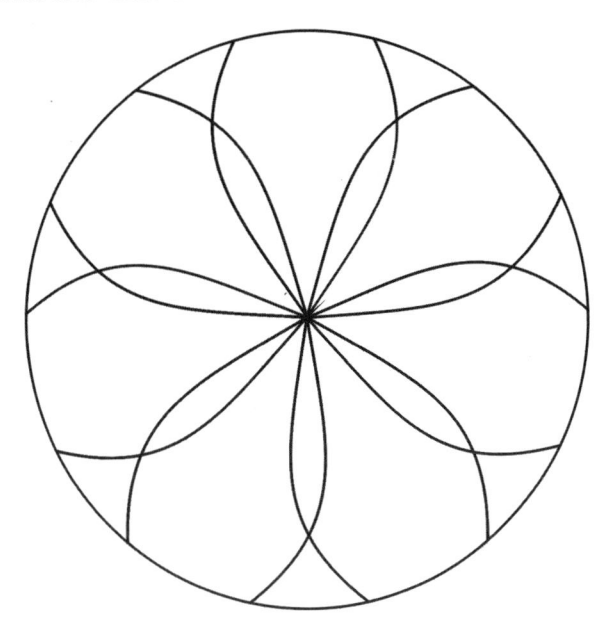

SÍMBOLO SAGRADO DO TRONO FEMININO DA LEI

Mandala do Trono Feminino da Lei

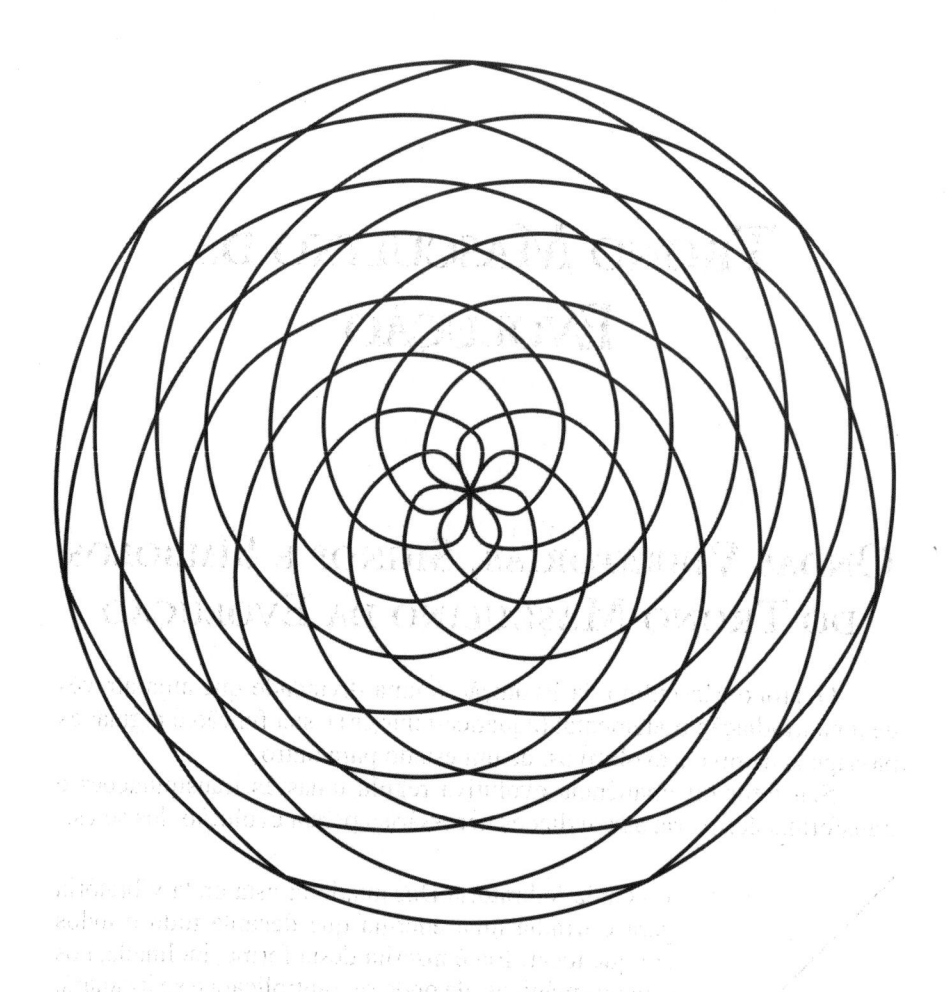

Trono Masculino da Evolução

Ondas Vibratórias, Signos e Símbolos do Trono Masculino da Evolução

O Trono Masculino da Evolução é uma divindade que atua através de uma irradiação bielemental (aquática-telúrica) e sua função é regular as passagens de níveis evolutivos, de um estado para outro.

Seu fator ou imanência evolutiva regula todas as transmutações e transformações e cria as condições necessárias para a evolução dos seres.

1 - Onda Vibratória Decantadora: esta onda vibratória gera e irradia uma energia que decanta tudo e todos em que tocar. Ela é inscrita desta forma, inclinada, nos espaços mágicos, de onde se multiplicará e se irradiará.

2 - Onda Vibratória Transmutadora: esta onda vibratória gera e irradia uma energia que transmuta tudo e todos em que tocar. Ela é inscrita desta forma, inclinada, nos espaços mágicos, de onde se multiplicará e se irradiará.

3 - **Onda Vibratória Geradora**: esta onda vibratória gera e irradia uma energia que gera os "estados" do ser. Ela é capaz de despertar nos seres a vontade de mudar para melhor, pois sua energia transmutadora altera a própria consciência que o ser tem de si. Ela deve ser inscrita verticalmente nos espaços mágicos, de onde se multiplicará e se irradiará.

4 - **Onda Vibratória Estabilizadora**: esta onda vibratória gera e irradia uma energia que dá estabilidade a tudo e todos em que tocar. Ela deve ser inscrita horizontalmente nos espaços mágicos, de onde se multiplicará e se irradiará.

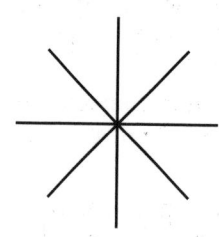

5 - **Onda Vibratória Evolutiva**: esta onda vibratória gera e irradia uma energia composta que acelera a evolução de tudo e todos em que tocar. Ela é em si um espaço mágico e, por ser teúrgica, é capaz de realizar, por si só, toda uma ação. Mas ela pode ser inscrita no centro, nos quadrantes, nos pontos cardeais ou fora dos espaços mágicos, de onde se multiplicará e se irradiará.

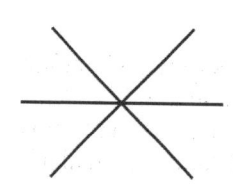

6 - **Onda Vibratória Niveladora**: esta onda é resultante da fusão das ondas decantadora, transmutadora e estabilizadora. Ela gera e irradia uma energia que conduz tudo e todos aos seus níveis vibratórios. Pode ser inscrita nos quadrantes, nos pontos cardeais ou do lado de fora dos espaços mágicos, de onde se multiplicará e se irradiará.

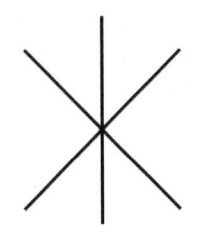

7 - Onda Vibratória Graduadora: esta onda vibratória gera e irradia uma energia que "gradua" tudo e todos em que tocar. Ela é formada pela fusão das ondas geradora, decantadora e transmutadora. Deve ser inscrita nos pontos cardeais, nos quadrantes ou do lado de fora dos espaços mágicos, de onde se multiplicará e se irradiará.

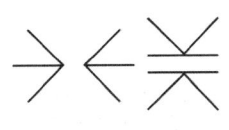

8 - Signos Niveladores: estes signos são pedaços da onda vibratória niveladora. Eles devem ser inscritos nos pontos cardeais, nos quadrantes ou do lado de fora dos espaços mágicos, de onde se multiplicarão e se irradiarão.

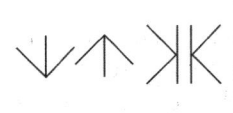

9 - Signos Graduadores: estes signos são pedaços da onda vibratória graduadora. Eles devem ser inscritos nos pontos cardeais, nos quadrantes ou do lado de fora dos espaços mágicos, de onde se multiplicarão e se irradiarão.

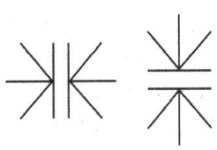

10 - Signos Evolutivos: estes signos são pedaços da onda vibratória evolutiva. Eles devem ser inscritos nos pontos cardeais, nos quadrantes mágicos ou do lado de fora dos espaços mágicos, de onde se multiplicarão e se irradiarão.

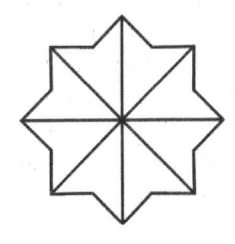

11 - Estrela do Trono Masculino da Evolução: este símbolo é teúrgico e é capaz de realizar, por si só, toda uma ação.

12 - **Onda Vibratória Energizadora Atemporal**: esta onda vibratória gera e irradia uma energia que fortalece tudo e todos em que tocar. Ela somente deve ser inscrita horizontalmente.

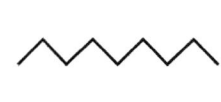

13 - **Onda Vibratória Desenergizadora Atemporal**: esta onda vibratória gera e irradia uma energia que enfraquece tudo e todos em que tocar. Ela somente deve ser inscrita horizontalmente.

14 - **Signo Energizador**: este signo é um pedaço da onda vibratória energizadora. Ele pode ser inscrito nos pontos cardeais, nos quadrantes ou do lado de fora dos círculos mágicos, de onde se multiplicará e se irradiará.

15 - **Signo Esgotador**: este signo é um pedaço da onda vibratória desenergizadora. Ele pode ser inscrito nos pontos cardeais, nos quadrantes ou do lado de fora dos espaços mágicos, de onde se multiplicará e se irradiará.

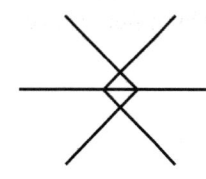

16 - **Signo Energizador-Desenergizador**: este signo é resultante da fusão de suas ondas energizadora e desenergizadora e pode ser inscrito nos pontos cardeais, nos quadrantes ou do lado de fora dos espaços mágicos, de onde se multiplicará e se irradiará.

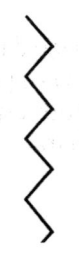

17 - **Onda Atemporal Decantadora**: esta onda vibratória é atemporal porque gera e irradia uma energia mista telúrica-aquática. Ela é parecida com a onda telúrica do Trono Feminino do Conhecimento, mas não é igual porque forma ângulos de noventa graus (90°), enquanto a dela forma ângulos de setenta e cinco graus (75°). Ela somente deve ser inscrita verticalmente.

18 - Onda Transmutadora Atemporal: esta onda atemporal gera e irradia uma energia mista ou telúrica-aquática. Ela faz como as ondas energizadora, desenergizadora e decantadora: forma ângulos de noventa graus ou ângulos retos. Esta aqui só deve ser inscrita verticalmente.

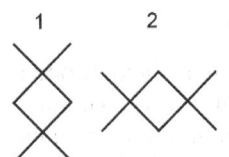

19 - Signos do Trono Masculino da Evolução:

1 - este signo é um pedaço da onda dupla atemporal vertical ou decantadora-transmutadora.

2 - este signo é um pedaço da onda dupla atemporal horizontal ou energizadora-desenergizadora.

Ambos podem ser inscritos nos pontos cardeais, nos quadrantes ou do lado de fora dos espaços mágicos, de onde se multiplicarão e se irradiarão.

20 - Ondas Duplas:

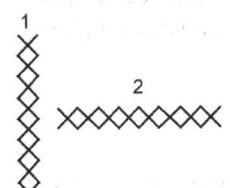

1 - esta onda dupla vertical é resultante da fusão das ondas decantadora e transmutadora. Ela somente deve ser inscrita verticalmente.

2 - esta onda dupla horizontal é resultante da fusão das ondas energizadora e desenergizadora. Ela somente deve ser inscrita horizontalmente.

21 - Signo Decantador: este signo é um pedaço da onda decantadora atemporal. Ele pode ser inscrito nos pontos cardeais, nos quadrantes ou do lado de fora dos espaços mágicos, de onde se multiplicará e se irradiará.

22 - Signo Transmutador: este signo é um pedaço da onda transmutadora atemporal. Ele pode ser inscrito nos pontos cardeais, nos quadrantes mágicos ou do lado de fora dos espaços mágicos, de onde se multiplicará e se irradiará.

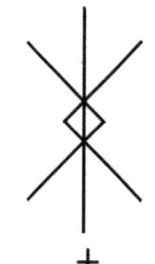

23 - Signo Decantador-Transmutador: este signo é um pedaço da fusão das ondas decantadora-transmutadora. Ele pode ser inscrito nos pontos cardeais, nos quadrantes ou do lado de fora dos espaços mágicos, de onde se multiplicará e se irradiará.

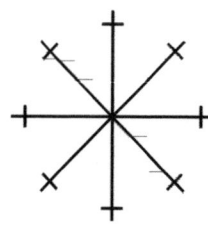

24 - Ponto Riscado: este ponto "riscado" é uma mandala simples e é capaz de realizar, por si só, toda uma ação mágica ou teúrgica.

Símbolo Sagrado do Trono Masculino da Evolução

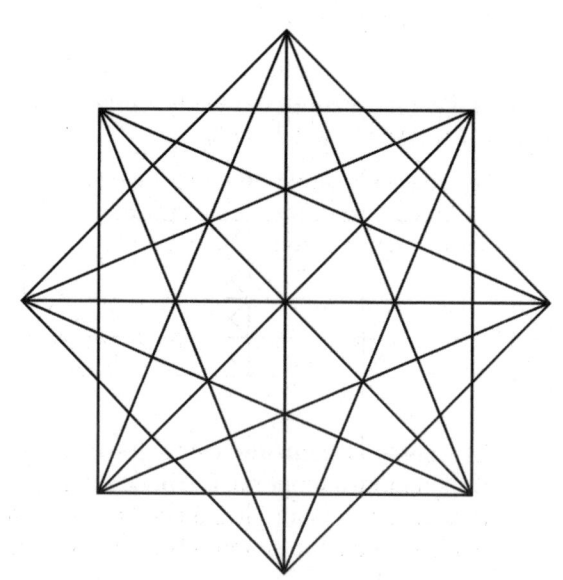

Mandala do Trono Masculino da Evolução

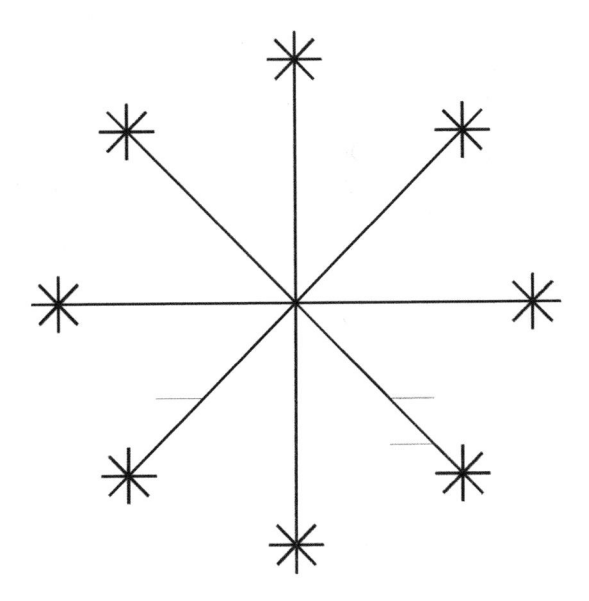

Tela Vibratória do Trono Masculino da Evolução

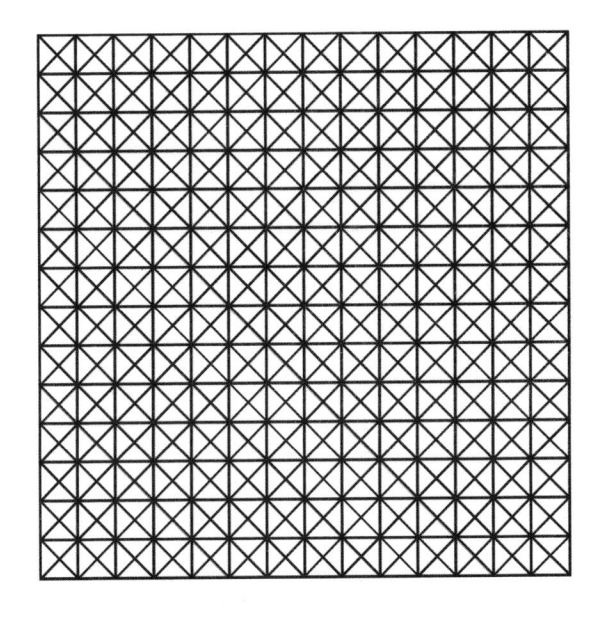

Trono Feminino da Evolução

Ondas Vibratórias, Signos e Símbolos do Trono Feminino da Evolução

O Trono Feminino da Evolução é a divindade que forma par natural, magnético, energético e vibratório com o Trono Masculino da Evolução. Suas ondas vibratórias geram e irradiam energias que atuam sempre em benefício da evolução dos seres e da própria criação divina.

Aqui, apenas descreveremos algumas de suas ondas vibratórias, signos e símbolos.

1 - Onda Aquática Decantadora do Trono Feminino da Evolução: esta onda vibratória gera e irradia uma energia aquática que decanta os sentimentos e o negativismo de todos em que toca.

2 - Onda Aquática Transmutadora: esta onda vibratória gera e irradia uma energia aquática que transmuta os sentimentos e o negativismo de todos em que toca, positivando-os.

3 - **Onda Telúrica Racionalizadora Estabilizadora:** esta onda vibratória telúrica gera e irradia uma energia que tanto racionaliza quanto estabiliza quem for energizado por ela.

4 - **Onda Evolutiva:** esta onda, composta pelas três ondas anteriores é tão plena de recursos que é denominada de onda vibratória evolutiva do Trono Feminino da Evolução.

5 - **Signo Decantador:** este signo é um pedaço da onda decantadora e pode ser inscrito nos pontos cardeais, nos quadrantes ou do lado de fora dos círculos mágicos, de onde se multiplicará e se irradiará.

6 - **Signo Transmutador:** este signo é um pedaço da onda transmutadora e pode ser inscrito nos pontos cardeais, nos quadrantes ou do lado de fora dos círculos mágicos, de onde se multiplicará e se irradiará.

7 - **Signo Racionalizador:** este signo é um pedaço da onda racionalizadora. Ele pode ser inscrito nos pontos cardeais, nos quadrantes ou do lado de fora dos espaços mágicos, de onde se multiplicará e se irradiará.

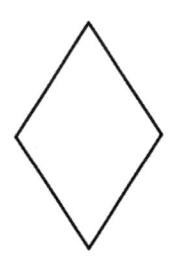

8 - Signo Evolutivo: este signo é resultante da fusão das ondas decantadora, transmutadora e racionalizadora. Ele pode ser inscrito nos pontos cardeais, nos quadrantes, dentro ou fora dos círculos mágicos, de onde se multiplicará e se irradiará.

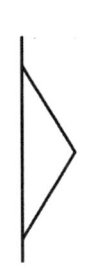

9 - Signo Decantador-Racionalizador: este signo é resultante da fusão das ondas vibratórias decantadora e racionalizadora. Ele pode ser inscrito nos pontos cardeais, nos quadrantes ou do lado de fora dos espaços mágicos, de onde se multiplicará e se irradiará.

10 - Signo Transmutador-Racionalizador: este signo é resultante da fusão das ondas transmutadora e racionalizadora. Ele pode ser inscrito nos pontos cardeais, nos quadrantes ou do lado de fora dos espaços mágicos, de onde se multiplicará e se irradiará.

11 - Onda Dupla Decantadora-Transmutadora: este signo é um pedaço da onda dupla que resulta da fusão das ondas decantadora e transmutadora. Ele pode ser inscrito nos pontos cardeais, nos quadrantes ou do lado de fora dos círculos mágicos, de onde se multiplicará e se irradiará.

12 - Signos aquáticos: estes signos, que são pedaços da onda evolutiva, quando apontam para cima ou para baixo, são seus signos aquáticos evolutivos. Eles podem ser inscritos nos pontos cardeais, nos quadrantes ou do lado de fora dos espaços mágicos, de onde se multiplicarão e se irradiarão.

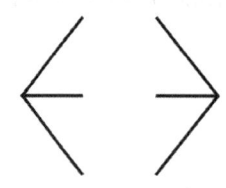

13 - Signos Telúricos: estes signos, que são pedaços da onda evolutiva, quando inscritos para a esquerda ou para a direita, são telúricos. Eles podem ser inscritos nos pontos cardeais, nos quadrantes ou do lado de fora dos círculos mágicos, de onde se multiplicarão e se irradiarão.

14 - Símbolo Sagrado do Trono Feminino da Evolução: este símbolo é teúrgico e é capaz de realizar, por si só, toda uma ação mágica. Também é denominado de estrela evolutiva dela.

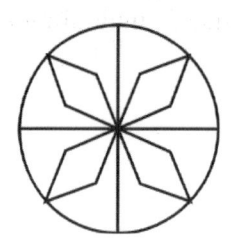

15 - Estrela do Trono Feminino da Evolução: esta estrela, resultante da fusão de três ondas vibratórias dela, é um símbolo sagrado, capaz de realizar, por si só, toda uma ação mágica. Também é denominado de estrela evolutiva da vida. São transportadoras de sua energia mista aquática-telúrica.

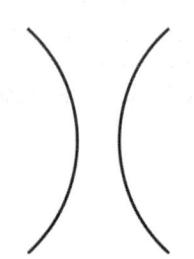

16 - Onda Atemporal Simples do Trono Feminino da Evolução.

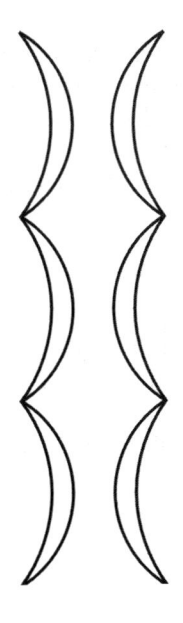

17 - Onda Atemporal Dupla do Trono Feminino da Evolução.

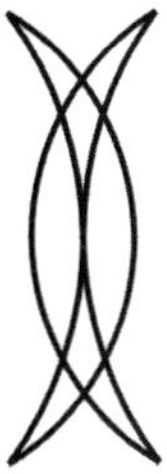

18 - Onda Atemporal Dupla Cruzada: esta onda é um símbolo sagrado, capaz de realizar, por si só, toda uma ação mágica. Ela também pode ser inscrita no centro dos círculos mágicos, de onde se multiplicará e se irradiará.

19 - Onda Atemporal Simples Cruzada: esta onda é um signo ou um pedaço das ondas atemporais decantadora e transmutadora. Ela pode ser inscrita nos pontos cardeais, nos quadrantes ou do lado de fora dos espaços mágicos, de onde crescerá e se irradiará.

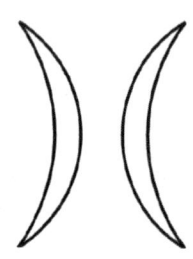

20 - Signos "Crescente e Minguante" do Trono Feminino da Evolução: estas meias-luas são pedaços das ondas atemporais duplas dela e podem ser inscritas nos quadrantes ou do lado de fora dos círculos mágicos, de onde se multiplicarão e se irradiarão.

Símbolo Sagrado Atemporal do Trono Feminino da Evolução

Mandala do Trono Feminino da Evolução

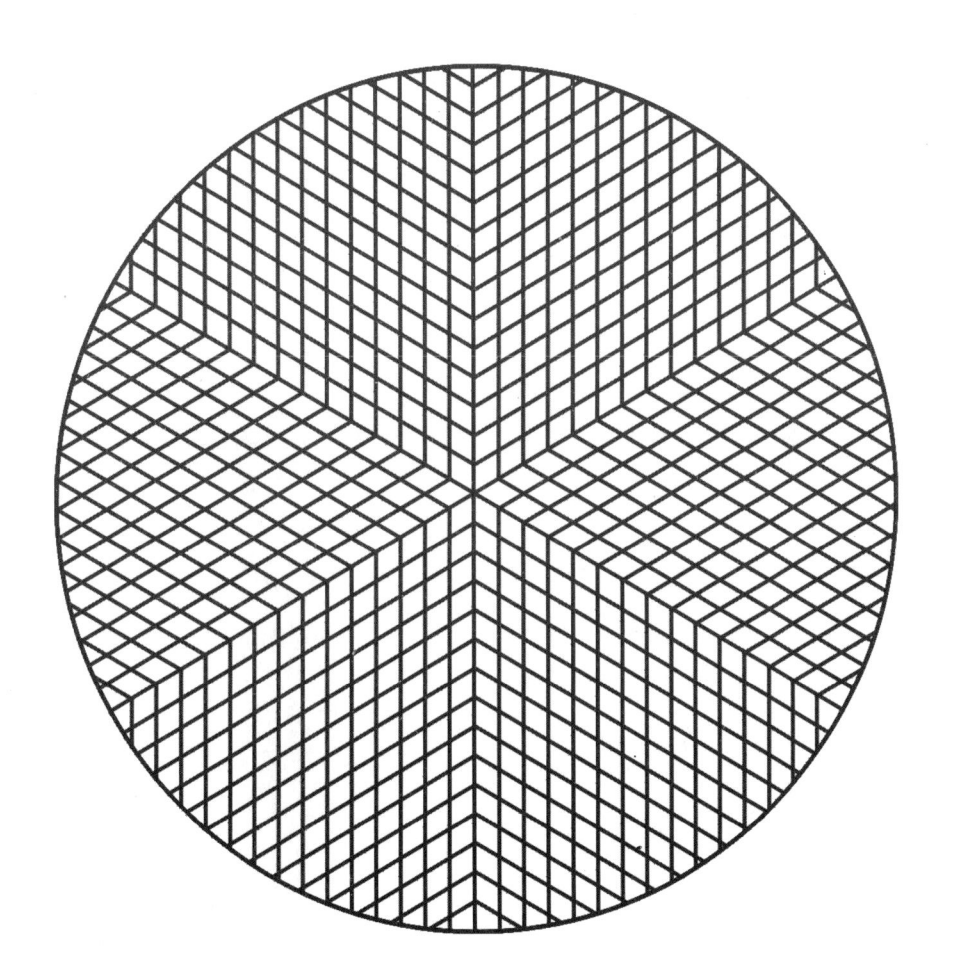

Trono Masculino da Geração

Ondas Vibratórias, Signos e Símbolos do Trono Masculino da Geração

O Trono Masculino da Geração é uma divindade que polariza com o Trono Feminino da Geração e atua sempre em conjunto com ela, como amparador da vida e seu regulador, podendo acontecer algum tipo de desequilíbrio ou distorção nas suas muitas formas de existir.

Seu elemento primário é o telúrico que se completa no elemento aquático do Trono Feminino da Geração.

Vamos a algumas de suas ondas vibratórias.

1 - Onda Geradora do Trono Masculino da Geração: esta onda gera e irradia uma energia telúrica que, ao misturar-se à energia aquática, cria uma energia propiciatória da vida ou da criatividade mental, racional ou emocional. Ela é inscrita desde o "alto" até o "embaixo" dos espaços mágicos, pois é uma onda teúrgica.

2 - Onda Estabilizadora: esta onda gera e irradia uma energia que estabiliza tudo o que toca. Mas tem um duplo sentido e nós também a chamamos de onda paralisadora do negativismo dos seres. Ela é inscrita desde a direita até a esquerda dos espaços mágicos, pois é teúrgica.

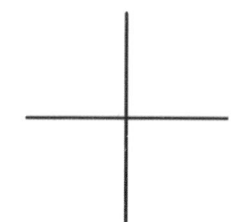

3 - **Onda Estabilizadora-Geradora:** esta onda gera e irradia uma energia que tanto pode estabilizar quanto pode gerar algo novo em quem tocar. Ela pode ser inscrita no centro dos espaços mágicos, nos seus quadrantes ou nos seus pontos cardeais.

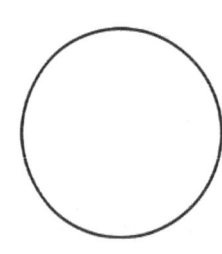

4 - **Onda Criativa:** esta onda gera e irradia uma energia que estimula o crescimento e a criatividade positiva dos seres, se ela estiver expandindo-se. Mas, se ela estiver concentrando-se (sentido centrípeto), então retira as energias criativas dos seres, esgotando-os dos seus negativismos. Ela pode ser inscrita no centro dos espaços mágicos, nos seus quadrantes, nos seus pontos cardeais ou na ponta das ondas mágicas ou teúrgicas.

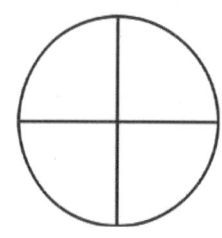

5 - **Onda Estabilizadora, Geradora e Criativa:** esta onda é resultante da fusão de três ondas vibratórias. Portanto, é uma onda composta, associada ao próprio fator "gerador", gerado por ele e irradiado para tudo e para todos, o tempo todo. Ela é, em si, um símbolo teúrgico e um espaço mágico puro.

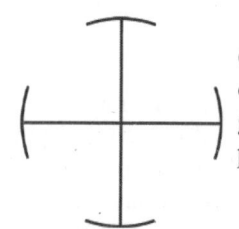

6 - **Onda Telúrica Paralisadora:** esta onda, com pequenas ondas curvas nas extremidades gera e irradia uma energia que é capaz de paralisar tudo o que tocar. Inclusive processos mágicos negativos ou carmas individuais.

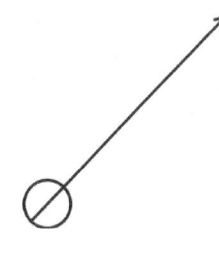

7 - **Onda Energizadora:** esta onda gera e irradia energia criativa-geradora e pode ser inscrita nos quadrantes, nos pontos cardeais, ou cruzando todo o espaço mágico, pois é uma onda teúrgica. Seu sentido de inscrição é para cima, inclinada para o alto ou para a esquerda, na horizontal.

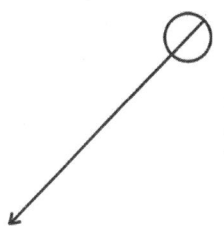

8 - **Onda Desenergizadora:** esta onda retira as energias criativas e geradoras de tudo o que toca. Mas seu sentido de inscrição é para baixo, inclinada para os lados, de baixo ou para a direita, na horizontal.

9 - **Onda Esgotadora:** esta onda absorve as energias de tudo o que toca. Ela pode ser inscrita nos quadrantes mágicos, nos pontos cardeais ou do lado de fora dos espaços mágicos, anulando qualquer reação de quem receber a sua ação.

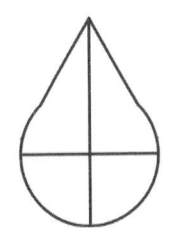

10 - **Signo Energizador:** este signo é a resultante da fusão das três ondas e a contração da sua onda energizadora. Ele pode ser inscrito nos pontos cardeais e nos quadrantes mágicos, de onde se multiplicará e energizará tudo o que tocar.

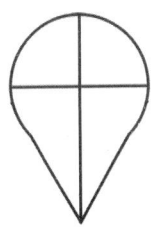

11 - **Signo Desenergizador:** este signo é a resultante da fusão das três ondas e é a contração da sua onda desenergizadora. Ele pode ser inscrito nos pontos cardeais ou nos espaços mágicos, de onde se multiplicará e desenergizará tudo o que tocar.

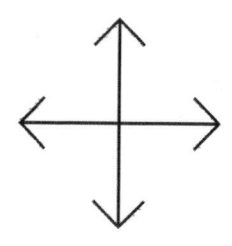

12 - **Signo Estabilizador-Gerador**: este signo é a fusão das ondas estabilizadoras e geradoras. Ele pode ser inscrito nos pontos cardeais, nos quadrantes e nos centros dos espaços mágicos, de onde se multiplicará e se irradiará.

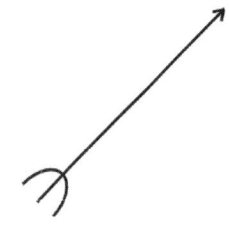

13 - **Seta do Trono Masculino da Geração**: esta onda tem três pontas captando e uma irradiando. Ela neutraliza, energiza ou desenergiza tudo o que tocar. Sua ação depende da determinação que lhe for dada. Ela pode ser inscrita em todos os pontos cardeais ou quadrantes mágicos, de onde se multiplicará e se irradiará.

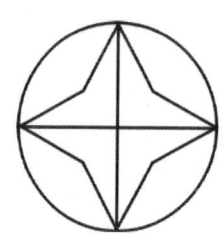

14 - **Estrela do Trono Masculino da Geração**: este símbolo surge em função da fusão das três ondas de Omulu. É poderosíssimo, pois é um símbolo teúrgico.

15 - **Símbolo Sagrado do Trono Masculino da Geração**: este símbolo surge em função da fusão dos signos gerador e estabilizador, que são pedaços de duas de suas ondas teúrgicas. Ele é, em si, um espaço mágico capaz de realizar, por si só, toda uma ação mágica.

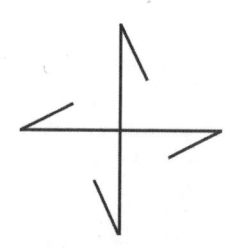

16 - **Cruz do Trono Masculino da Geração**: este símbolo surge a partir do cruzamento das ondas geradora e estabilizadora. Ele tanto pode ser inscrito em um dos quadrantes como no exterior dos espaços mágicos, assim como é em si mesmo um espaço mágico.

17 - Signo Gerador do Trono Masculino da Geração: este signo é um pedaço da onda geradora. Ele pode ser inscrito em um dos quadrantes, nos pontos cardeais ou no exterior dos espaços mágicos, de onde se multiplicará e irradiará.

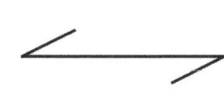

18 - Signo Estabilizador: este signo é um pedaço da onda estabilizadora. Ele pode ser inscrito nos quadrantes, nos pontos cardeais ou no exterior dos espaços mágicos, de onde crescerá e se irradiará.

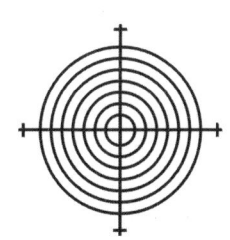

19 - Mandala do Trono Masculino da Geração.

Mandala do Trono Masculino da Geração

Símbolo Sagrado do Trono Masculino da Geração

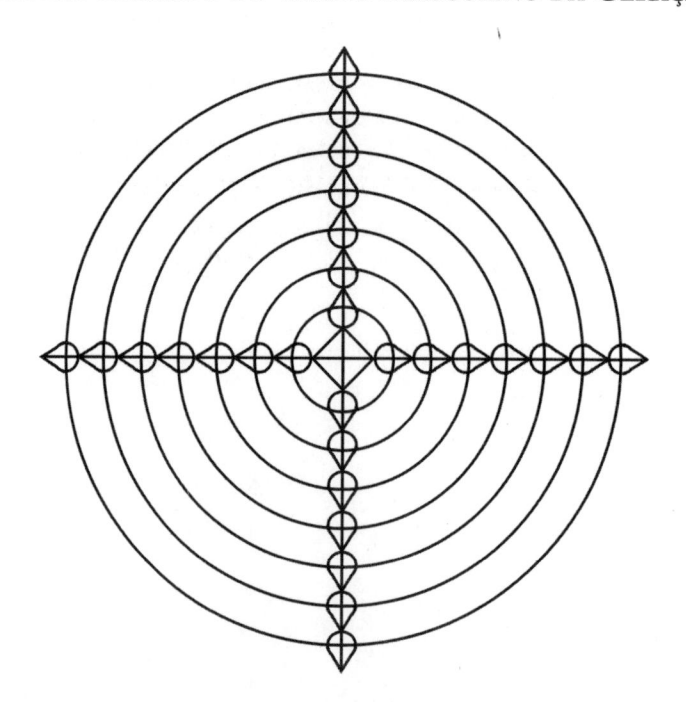

Trono Feminino da Geração

Ondas Vibratórias, Signos Símbolos do Trono Feminino da Geração

O Trono Feminino da Geração é uma divindade que atua como geradora da criação divina. Sua função é desencadear os processos criativos e sustentar a vida em suas muitas formas. Os processos genéticos são sustentados por imanência fatoral criacionista.

O seu elemento primário é aquático e sua imanência flui através da água. Vamos a algumas de suas ondas vibratórias.

1- Onda Aquática Criativista do Trono Feminino da Geração: esta onda gera e irradia uma energia que tanto ativa a criatividade quanto o criacionismo (de procriação) em tudo o que tocar. Ela deve ser inscrita no centro dos círculos mágicos.

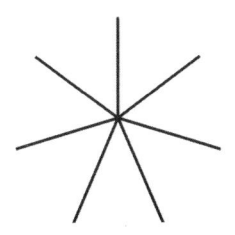

2- Onda Aquática Geradora: esta onda gera e irradia uma energia capaz de ativar a geração de sentimentos, de ideias ou mesmo de outras ondas vibratórias. Ela pode ser inscrita em um dos pontos cardeais ou quadrantes do espaço mágico, de onde se multiplicará e se irradiará.

3- Onda Aquática Bipolar: esta onda bipolar gera e irradia energias pelo alto e as absorve por baixo, se inscrita verticalmente. Mas se for inscrita na horizontal, então ela irradia pela direita e absorve pela esquerda. Ela é uma onda vibratória teúrgica e pode ser inscrita cruzando todo o espaço mágico ou em um dos seus quadrantes.

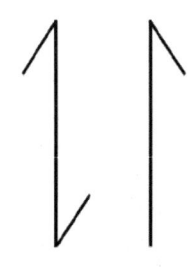

4- Signos Aquáticos Geradores do Trono Feminino da Geração

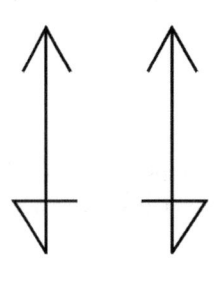

5- Signos Elementais Aquáticos Estabilizadores: estes signos são ondas vibratórias que geram e irradiam uma energia elemental que estabiliza tudo e todos em que tocar. Eles podem ser inscritos nos quadrantes, nos pontos cardeais ou do lado de fora do espaço mágico, de onde se multiplicarão e se irradiarão.

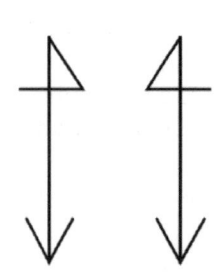

6- Signos Elementais Aquáticos Energizadores: estes signos geram e irradiam uma energia elemental que energiza tudo e todos em que toca. Eles podem ser inscritos nos quadrantes, nos pontos cardeais ou do lado de fora dos espaços mágicos, de onde se multiplicarão e se irradiarão.

7- Signo Estabilizador-Gerador: este signo é um símbolo teúrgico e é capaz de realizar, por si só, toda uma ação mágica. Ele pode ser inscrito isolado, em um dos quadrantes ou no centro dos espaços mágicos, de onde se multiplicará e se irradiará.

8- Lança Diamantada: esta onda gera e irradia uma energia aquática-cristalina que magnetiza a criatividade de todos em que tocar. Isto se estiver apontada para o alto, pois se estiver apontada para baixo, ela desmagnetizará tudo o que tocar. Pode ser inscrita nos pontos cardeais ou nos quadrantes mágicos, de onde se multiplicará e se irradiará.

9- Signos Aquáticos Geradores: estes signos são pedaços das ondas geradora e mista e podem ser inscritos nos quadrantes dos espaços mágicos.

10- Estrela do Trono Feminino da Geração: esta estrela é resultante da fusão das ondas geradora e criativa e é um dos símbolos sagrados. Portanto, é um símbolo teúrgico, capaz de realizar, por si só, toda uma ação geradora-criativista.

Símbolo Sagrado do Trono Feminino da Geração

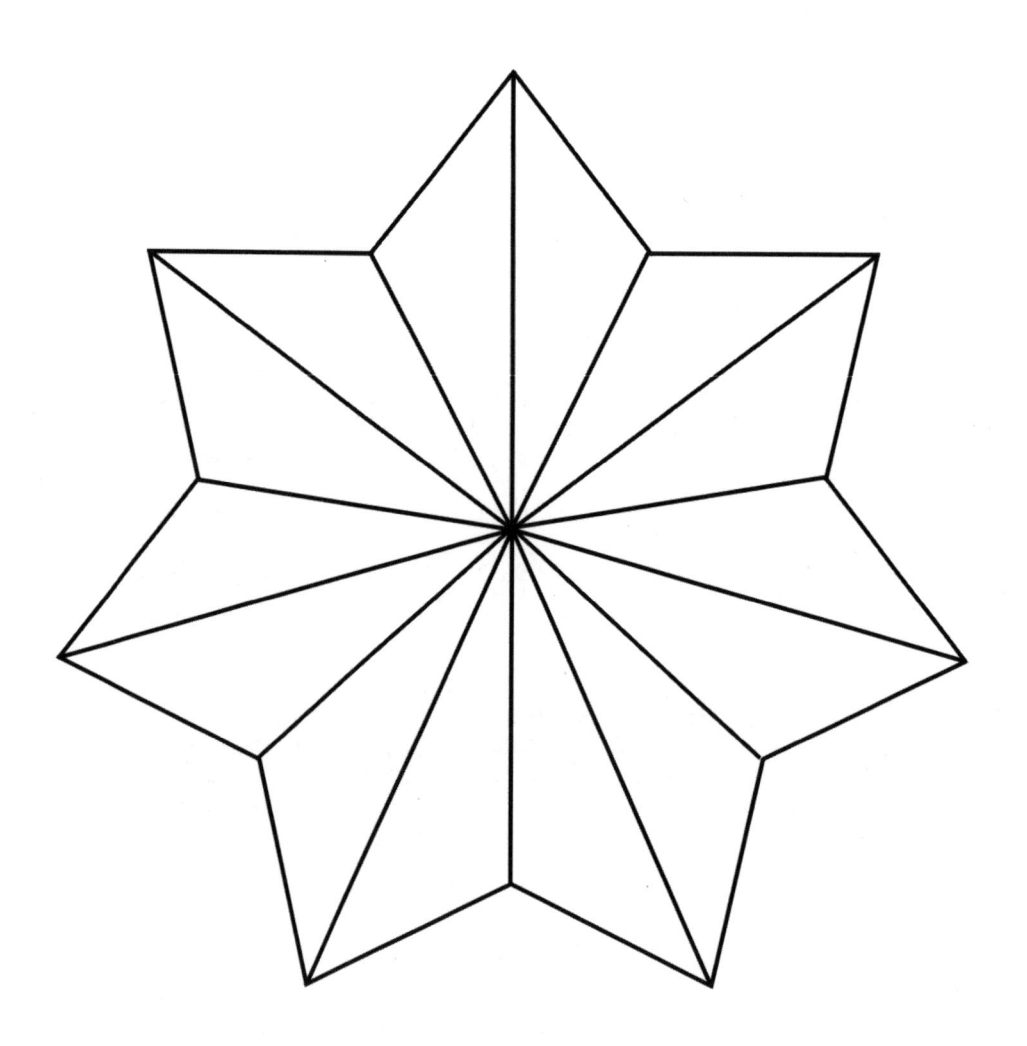

Mandala do Trono Feminino da Geração

Os Pontos Riscados

Bem, aí temos os quatorze Tronos e algumas de suas ondas vibratórias, signos, símbolos, pontos riscados e mandalas.

Estudem bem tudo o que aqui foi transmitido pelo astral superior, pois este conhecimento é novo no plano material.

Saibam que nada do que aqui ensinamos é novo ou novidade, apenas faltava o fundamento do que já vinha sendo usado por muitos desde que este planeta foi habitado, pois Deus e suas divindades jamais deixaram alguém sem o amparo divino dos seus símbolos sagrados e de suas ondas vibratórias vivas e transportadoras de energias específicas.

Saibam também que, caso alguém diga que já conhecia o mistério da escrita mágica dos Tronos, cujos fundamentos são seu magnetismo, suas energias e suas ondas vibratórias, então podem desmenti-lo, pois somente agora este mistério nos foi revelado pelo nosso amado mestre Seiman Hamiser Yê, o mentor responsável pela abertura dos fundamentos ocultos das magias praticadas no nosso plano material.

Os símbolos e signos já vêm sendo usados desde sempre pelas pessoas, ou riscados pelos magos em suas cabalas, em seus pontos riscados ou em seus pantáculos ou medalhões mágicos, mas a todos, e sem exceção, faltavam os conhecimentos aqui transmitidos.

Que todos tenham a humildade de reconhecer o nosso mérito, pois finalmente a magia está deixando de ser algo oculto, ou ocultismo, e está se tornando uma ciência divina, de fácil aplicação, porque bastará fé, amor e determinação para aplicá-la positivamente, em benefício dos nossos semelhantes.

Não nos deem méritos que não temos, pois a magia sempre ajudou pessoas e não começou conosco. As divindades, mesmo com as pessoas desconhecendo os fundamentos de seus símbolos e signos sagrados, sempre responderam quando alguém os riscava e os ativava, em benefício próprio ou dos seus semelhantes.

Que os méritos sejam de todos os magos e médiuns magistas que sempre confiaram nos pontos, nas cabalas e nos pentáculos que riscavam, pois foi por acreditarem, que finalmente o mistério da escrita mágica dos Tronos nos foi revelado.

Magias Simbólicas para uso Pessoal

Os símbolos, mandalas e pontos cabalísticos que daremos a seguir, vocês poderão riscar no solo ou em uma lajota e ativá-los para benefício próprio, mas nunca para outras pessoas.

Têm total liberdade para riscar qualquer um deles, fazer a evocação mágica aqui ensinada e pedir o que desejarem, mas apenas para si, porque, para usar a magia riscada em trabalhos para terceiros, somente quem tiver sido iniciado no curso ministrado por nós poderá realizá-los já que, aí sim, terá outorga dos Tronos de Deus para ativarem seus mistérios a partir da inscrição simbólica, das suas irradiações divinas e dos seus poderes mágicos.

Esperamos estar ajudando-os e que sigam esta nossa recomendação.

Em princípio, devem ter à mão giz ou pemba branca e velas brancas e coloridas pois o que usarão aqui será parte da magia riscada e da magia divina das Sete Chamas Sagradas ensinadas por nós.

Saibam que o que aqui é revelado já está sendo usado por todos os que já estudaram a magia divina conosco e vêm praticando-a intensamente e com ótimos resultados.

Use o que aqui liberamos, mas somente para uso pessoal, e nada mais, certo?

Vamos às magias riscadas que poderão ativar em benefício próprio:

1ª Magia

Este símbolo mágico sagrado, compartilhado pelos Tronos da Fé e do Conhecimento, deve ser riscado e ativado para limpeza do mental, seu fortalecimento e reequilíbrio energético etérico.

Após riscá-lo e firmar as velas nos locais indicados, devem fazer a evocação mágica padrão e pedir a purificação, magnetização e fortalecimento do vosso mental.

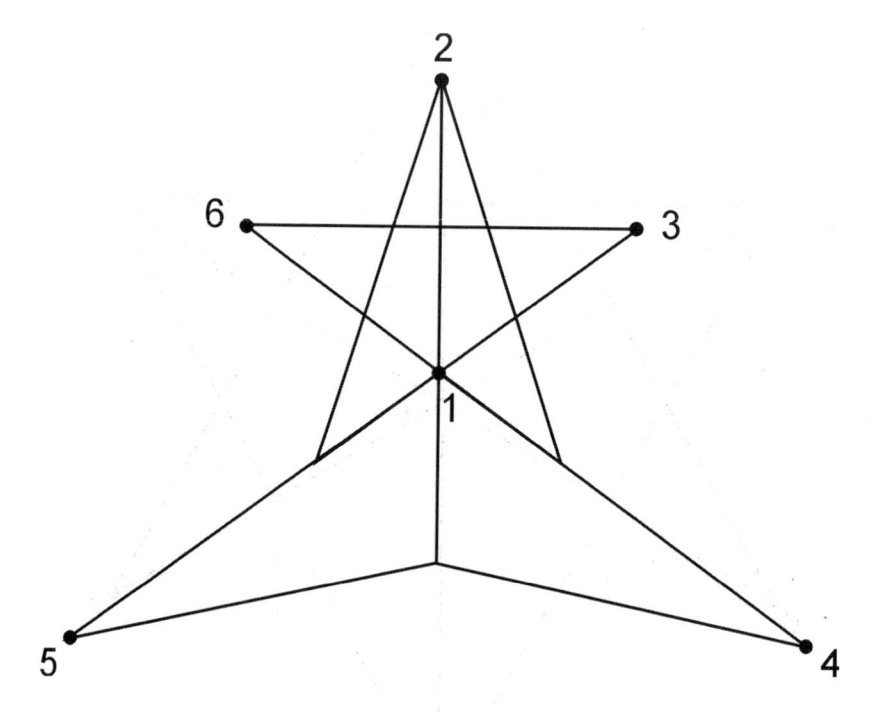

1 a 3 e 6 - Velas Brancas
4 e 5 - Velas Vermelhas ou Magenta

Evocação:
Eu evoco Deus, Seus Divinos Tronos, Sua Lei Maior e Sua Justiça Divina e os Tronos e peço que ativem este espaço mágico para que eu seja beneficiado nas minhas necessidades pelos poderes divinos aqui inscritos e firmados. (Após fazerem esta evocação mágica, devem dizer quais os benefícios desejados).

2ª Magia

Este símbolo sagrado dos Tronos da Fé e da Justiça é ótimo para purificação do lar, para disputas judiciais, para afastamento de inimigos.

Após riscá-lo e firmar as velas certas nos pontos indicados, devem fazer a evocação padrão e pedirem o que desejam que se realize em vossa vida.

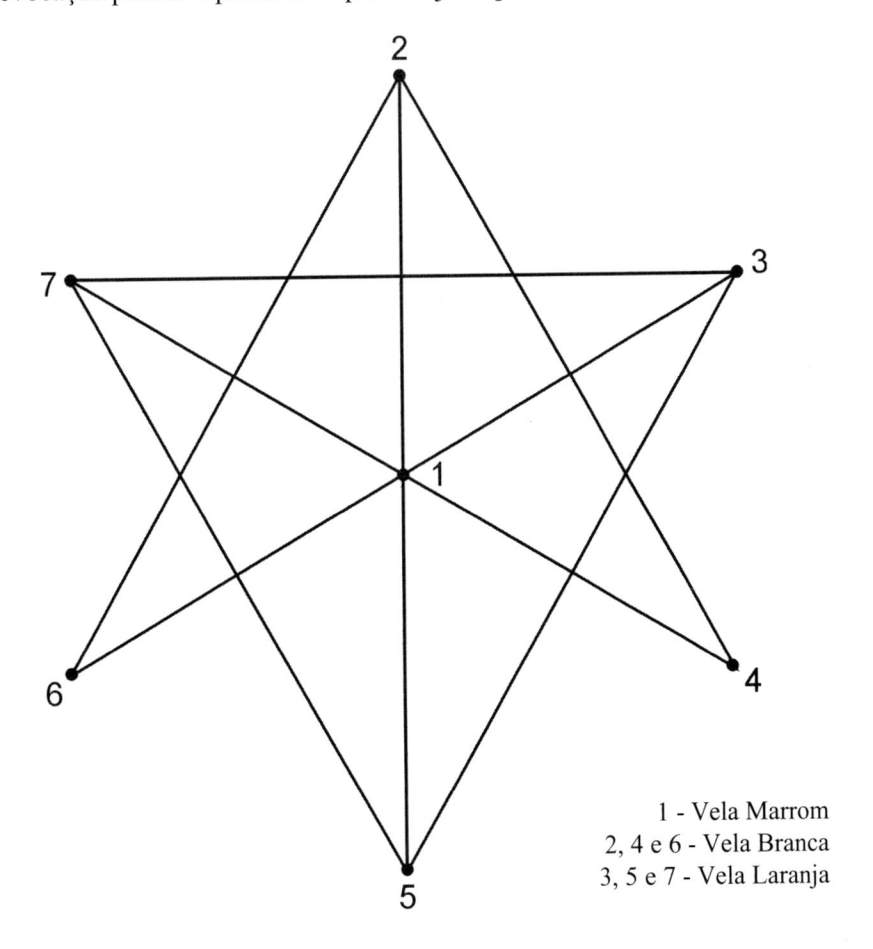

1 - Vela Marrom
2, 4 e 6 - Vela Branca
3, 5 e 7 - Vela Laranja

Evocação:
Eu evoco Deus, Seus Divinos Tronos, Sua Lei Maior e Sua Justiça Divina e os Tronos e peço que ativem este espaço mágico para que eu seja beneficiado nas minhas necessidades pelos poderes divinos aqui inscritos e firmados. (Após fazerem esta evocação mágica, devem dizer quais os benefícios desejados).

3ª MAGIA

Magia para anular atuações espirituais, magias negativas, purificação do lar, etc.

Após riscá-la e firmar as velas, todas brancas, nos pontos indicados, devem fazer a evocação e pedir o que querem que se realize em vossas vidas.

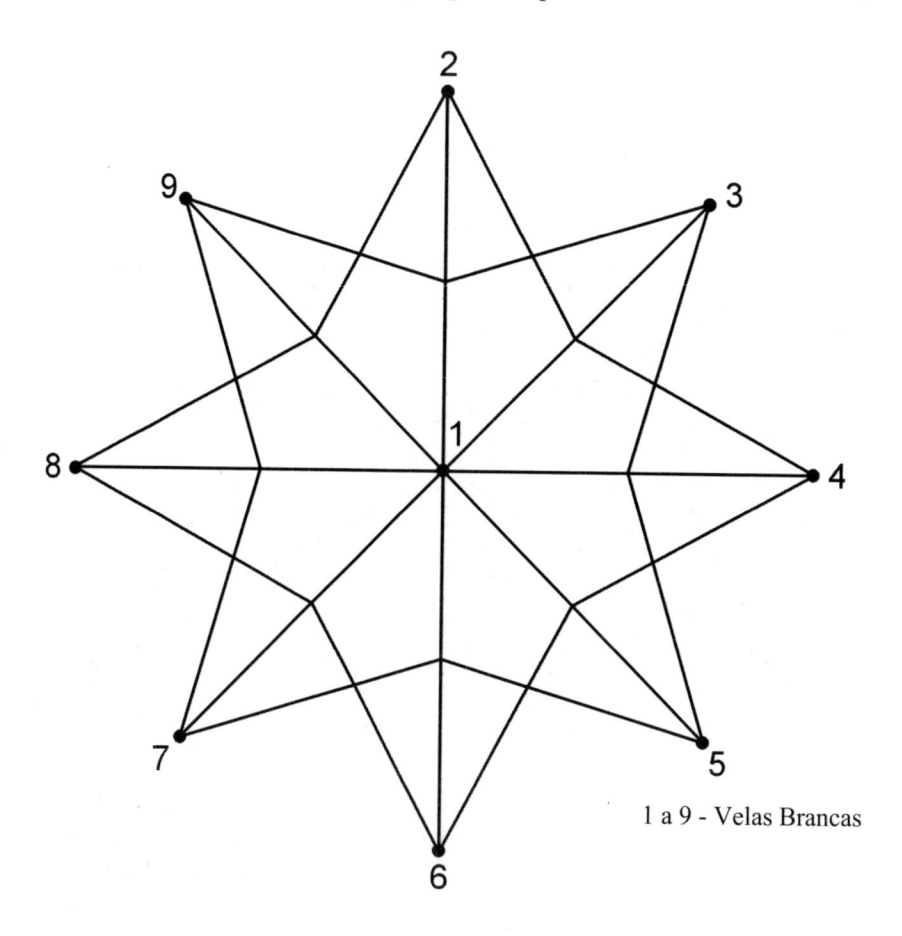

1 a 9 - Velas Brancas

Evocação:
Eu evoco Deus, Seus Divinos Tronos, Sua Lei Maior e Sua Justiça Divina e os Tronos e peço que ativem este espaço mágico para que eu seja beneficiado nas minhas necessidades pelos poderes divinos aqui inscritos e firmados. (Após fazerem esta evocação mágica, devem dizer quais os benefícios desejados).

4ª Magia

Ótima para afastar espíritos desequilibrados, obsessores ou sofredores.
Após riscá-la e firmar as velas nos pontos indicados, devem fazer a evocação e pedir o que desejam que seja realizado.

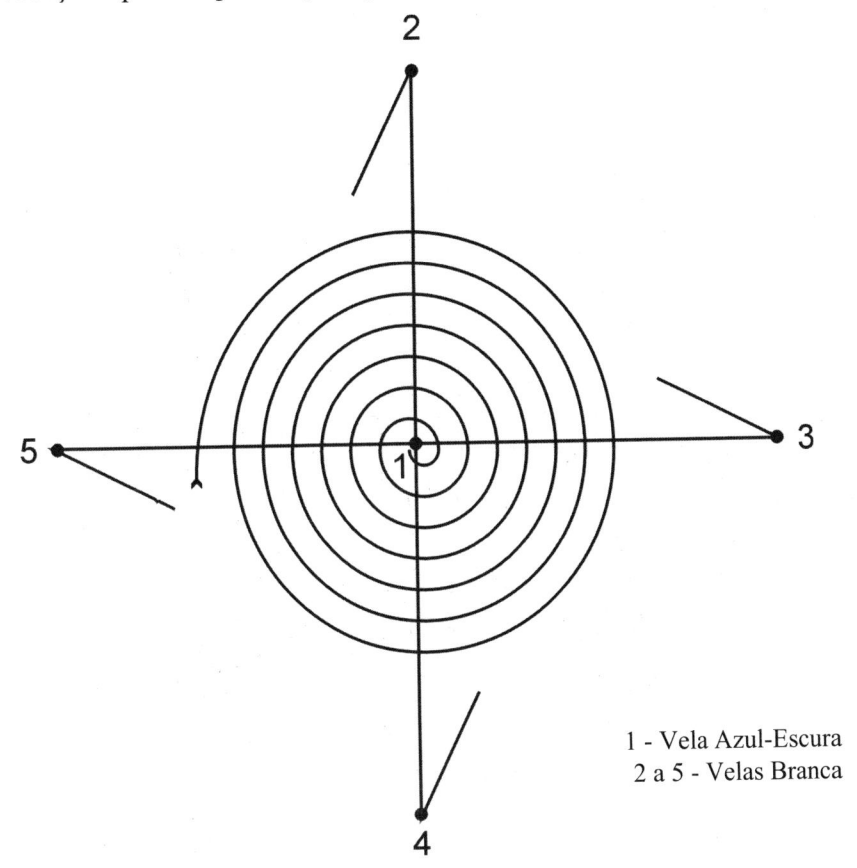

1 - Vela Azul-Escura
2 a 5 - Velas Branca

Evocação:
Eu evoco Deus, Seus Divinos Tronos, Sua Lei Maior e Sua Justiça Divina e os Tronos e peço que ativem este espaço mágico para que eu seja beneficiado nas minhas necessidades pelos poderes divinos aqui inscritos e firmados. (Após fazerem esta evocação mágica, devem dizer quais os benefícios desejados).

5ª MAGIA

Ótima para anulação de magias negativas, para abertura dos caminhos espirituais ou materiais, para direcionamento, etc.

Após riscá-la e firmar as velas nos pontos indicados, devem fazer a evocação e pedir o que desejam que seja realizado.

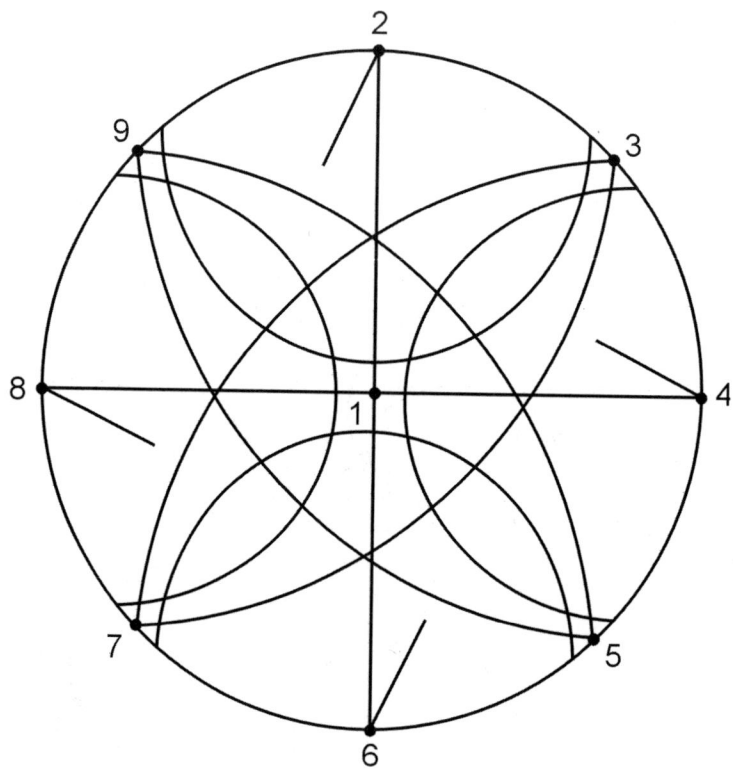

1, 3, 5, 7 e 9 - Velas Azuis-Escuras
2, 4, 6 e 8 - Velas Brancas

Evocação:
Eu evoco Deus, Seus Divinos Tronos, Sua Lei Maior e Sua Justiça Divina e os Tronos e peço que ativem este espaço mágico para que eu seja beneficiado nas minhas necessidades pelos poderes divinos aqui inscritos e firmados. (Após fazerem esta evocação mágica, devem dizer quais os benefícios desejados).

Magias Simbólicas para uso Pessoal 215

6ª MAGIA

Magia riscada muito boa para diluir sentimentos negativos, para propiciar bons acontecimentos, para limpeza energética e espiritual dos ambientes.

Após riscá-la e firmar as velas nos pontos indicados, devem fazer a evocação e pedir o que desejam que seja realizado.

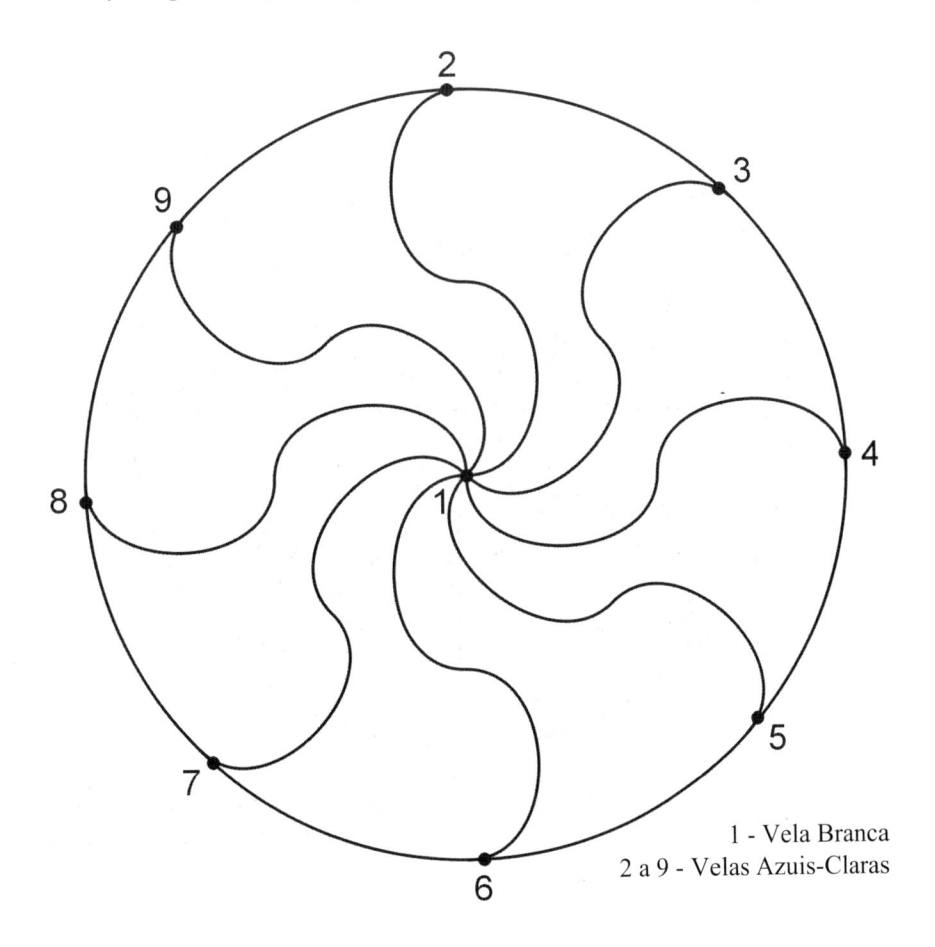

1 - Vela Branca
2 a 9 - Velas Azuis-Claras

Evocação:
Eu evoco Deus, Seus Divinos Tronos, Sua Lei Maior e Sua Justiça Divina e os Tronos e peço que ativem este espaço mágico para que eu seja beneficiado nas minhas necessidades pelos poderes divinos aqui inscritos e firmados. (Após fazerem esta evocação mágica, devem dizer quais os benefícios desejados).

7ª MAGIA

Magia para harmonização nos relacionamentos, para partos tranquilos, para a prosperidade, para limpeza astral e energização dos ambientes.

Após riscá-la e firmar as velas nos pontos indicados, devem fazer a evocação e pedir o que desejam que seja realizado.

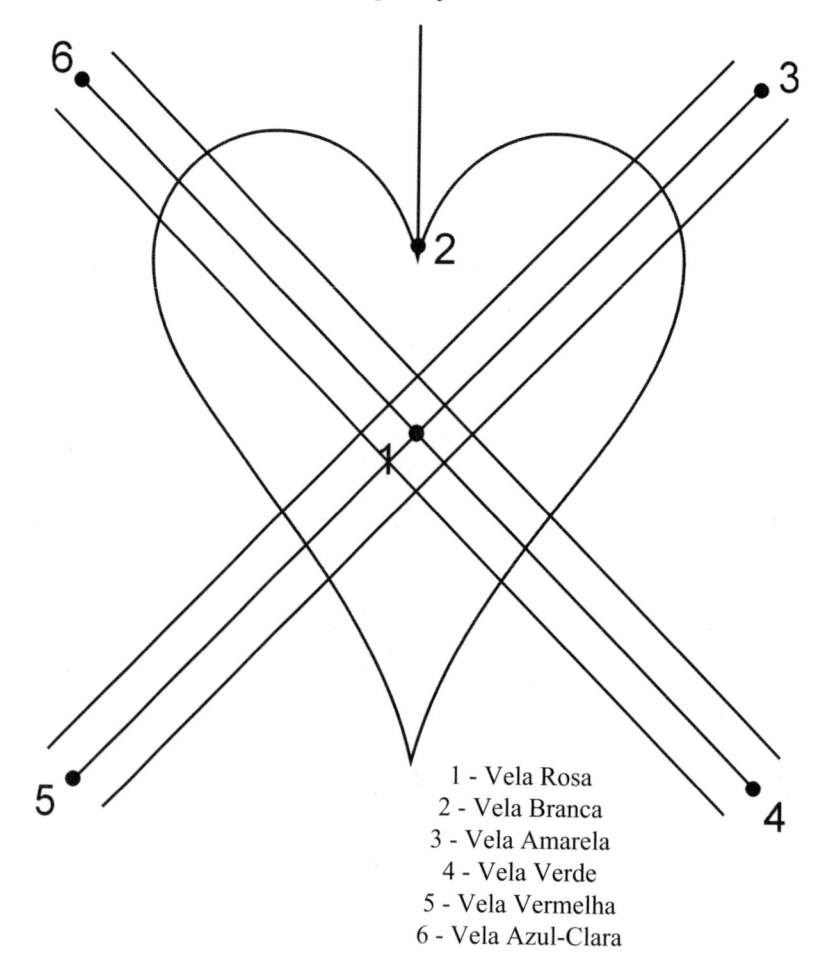

1 - Vela Rosa
2 - Vela Branca
3 - Vela Amarela
4 - Vela Verde
5 - Vela Vermelha
6 - Vela Azul-Clara

Evocação:
Eu evoco Deus, Seus Divinos Tronos, Sua Lei Maior e Sua Justiça Divina e os Tronos e peço que ativem este espaço mágico para que eu seja beneficiado nas minhas necessidades pelos poderes divinos aqui inscritos e firmados. (Após fazerem esta evocação mágica, devem dizer quais os benefícios desejados).

8ª Magia

Magia riscada ótima para anulação de atuações de espíritos obsessores, para emprego, para limpeza astral, etc.

Após riscá-la e firmar as velas nos pontos indicados, devem fazer a evocação e pedir o que desejam que seja realizado.

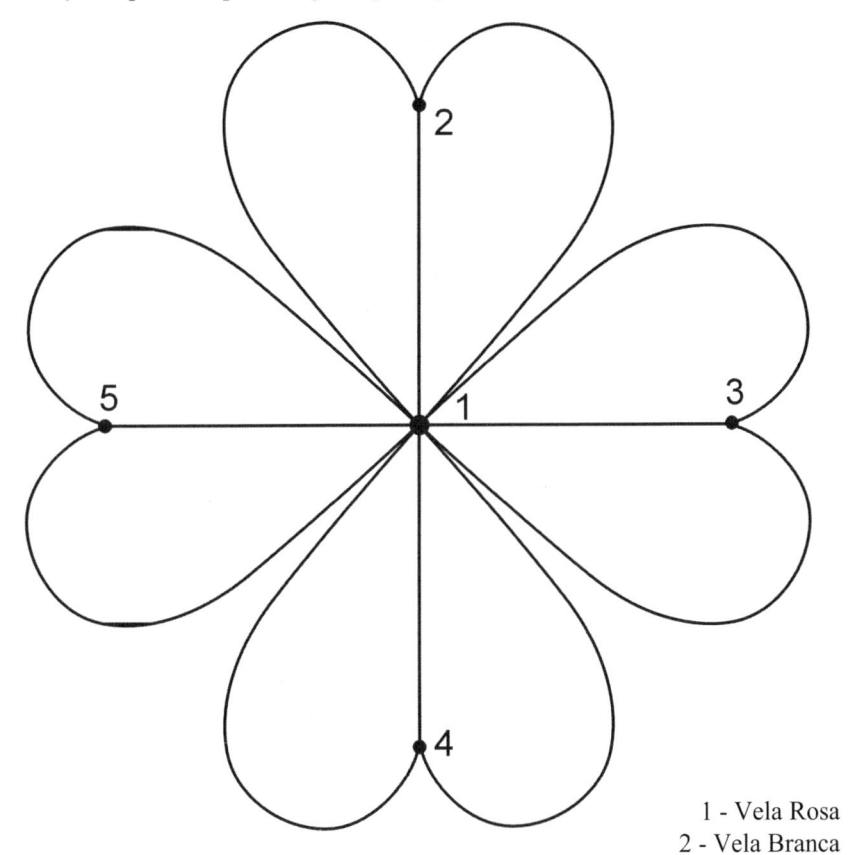

1 - Vela Rosa
2 - Vela Branca
3 - Vela Azul-Clara
4 - Vela Amarela
5 - Vela Lilás

Evocação:
Eu evoco Deus, Seus Divinos Tronos, Sua Lei Maior e Sua Justiça Divina e os Tronos e peço que ativem este espaço mágico para que eu seja beneficiado nas minhas necessidades pelos poderes divinos aqui inscritos e firmados. (Após fazerem esta evocação mágica, devem dizer quais os benefícios desejados).

9ª Magia

Magia riscada ótima para direcionamento, para afastamento de espíritos perturbadores, para fortalecimento do mental e para limpeza de ambientes.

Após riscá-la e firmar as velas nos pontos indicados, devem fazer a evocação e pedir o que desejam que seja realizado.

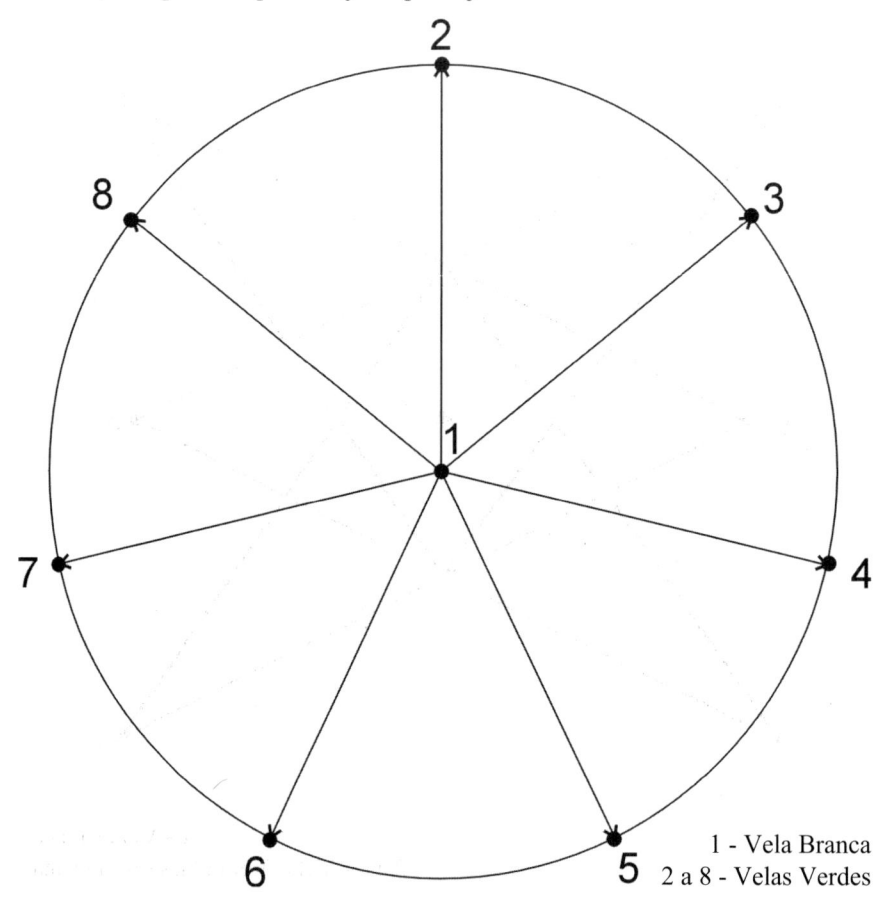

1 - Vela Branca
2 a 8 - Velas Verdes

Evocação:
Eu evoco Deus, Seus Divinos Tronos, Sua Lei Maior e Sua Justiça Divina e os Tronos e peço que ativem este espaço mágico para que eu seja beneficiado nas minhas necessidades pelos poderes divinos aqui inscritos e firmados. (Após fazerem esta evocação mágica, devem dizer quais os benefícios desejados).

10ª Magia

Magia Riscada ótima para a concentração mental e direcionamento do raciocínio, para limpeza energética e espiritual.

Após riscá-la e firmar as velas nos pontos indicados, devem fazer a evocação e pedir o que desejam que seja realizado.

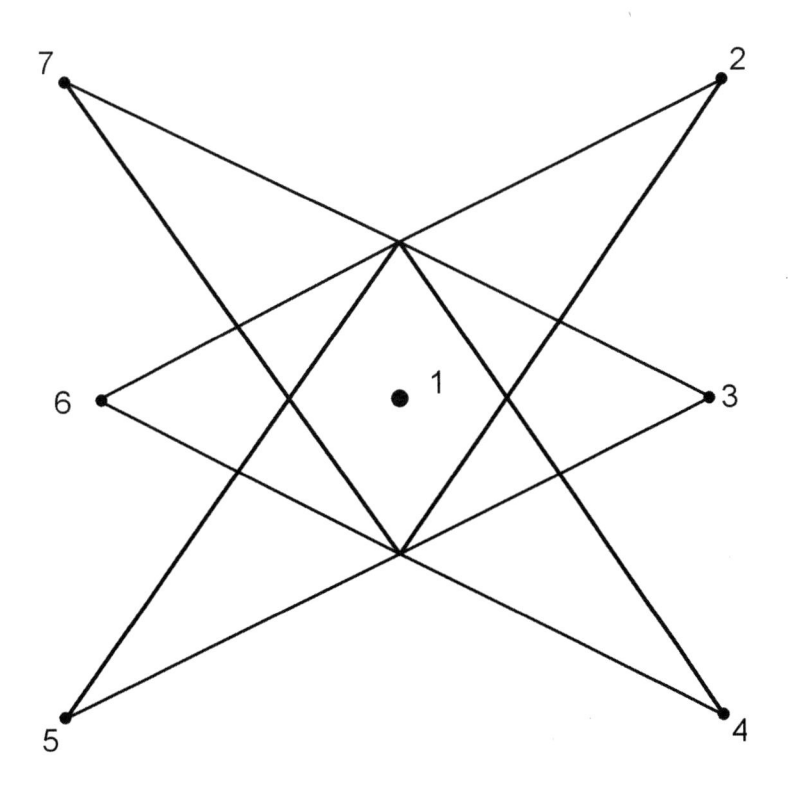

1 - Vela Branca
2 a 7 - Velas Vermelhas ou Magenta

Evocação:
Eu evoco Deus, Seus Divinos Tronos, Sua Lei Maior e Sua Justiça Divina e os Tronos e peço que ativem este espaço mágico para que eu seja beneficiado nas minhas necessidades pelos poderes divinos aqui inscritos e firmados. (Após fazerem esta evocação mágica, devem dizer quais os benefícios desejados).

11ª Magia

Ótima magia para anulação de inimizades, para fortalecimento do mental, para proteção em momentos de grandes decisões.

Após riscá-la e firmar as velas nos pontos indicados, devem fazer a evocação e pedir o que desejam que seja realizado.

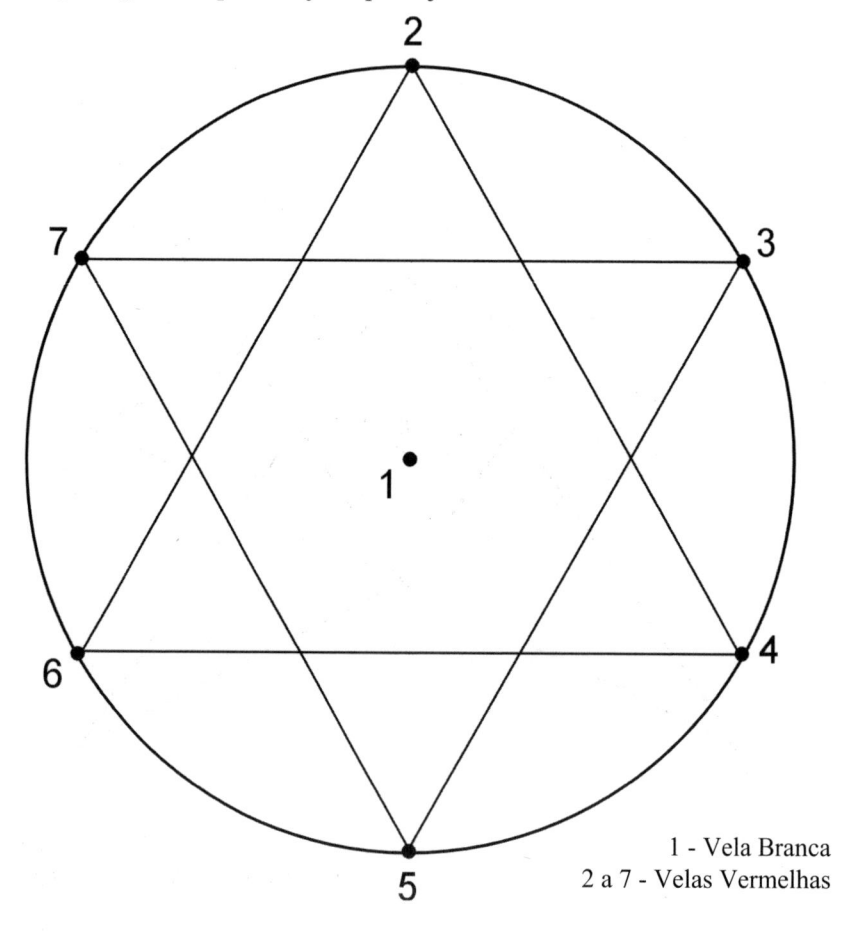

1 - Vela Branca
2 a 7 - Velas Vermelhas

Evocação:
Eu evoco Deus, Seus Divinos Tronos, Sua Lei Maior e Sua Justiça Divina e os Tronos e peço que ativem este espaço mágico para que eu seja beneficiado nas minhas necessidades pelos poderes divinos aqui inscritos e firmados. (Após fazerem esta evocação mágica, devem dizer quais os benefícios desejados).

12ª Magia

Magia Riscada ótima para limpeza e purificação dos lares, para anulação de magias negativas, para afastamento de espíritos obsessores.
Após riscá-la e firmar as velas nos pontos indicados, devem fazer a evocação e pedir o que desejam que seja realizado.

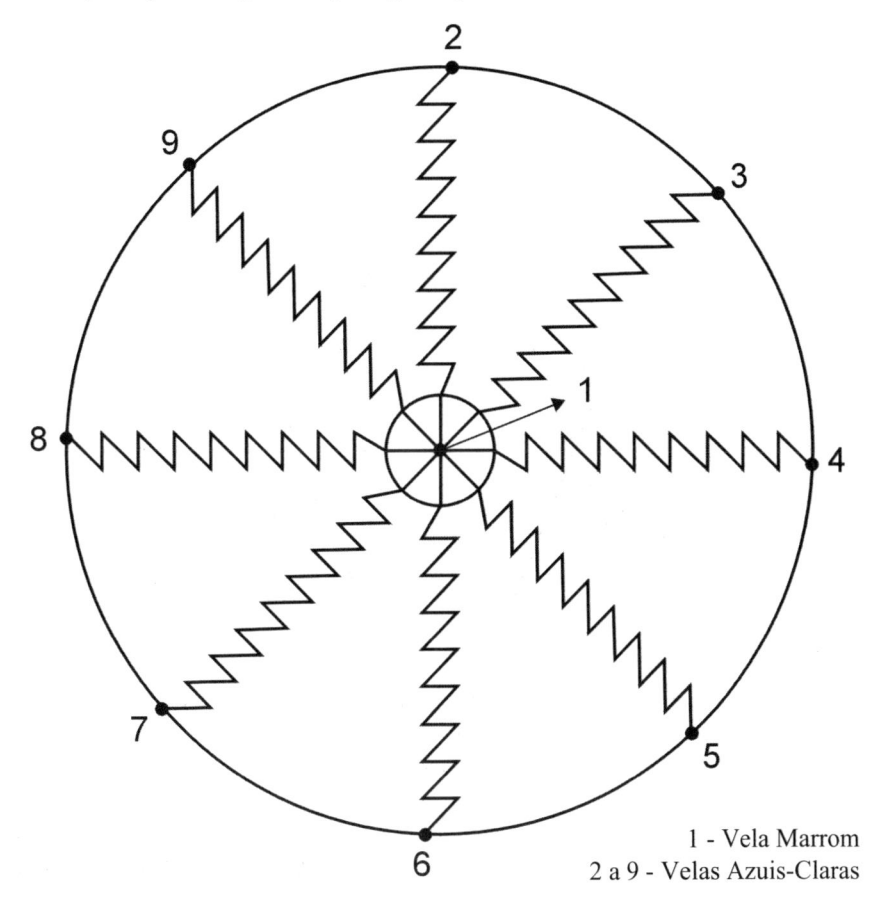

1 - Vela Marrom
2 a 9 - Velas Azuis-Claras

Evocação:
Eu evoco Deus, Seus Divinos Tronos, Sua Lei Maior e Sua Justiça Divina e os Tronos e peço que ativem este espaço mágico para que eu seja beneficiado nas minhas necessidades pelos poderes divinos aqui inscritos e firmados. (Após fazerem esta evocação mágica, devem dizer quais os benefícios desejados).

13ª Magia

Magia Riscada ótima para proteção, para limpeza energética, para anulação de magias negativas, para harmonização dos relacionamentos, etc.

Após riscá-la e firmar as velas nos pontos indicados, devem fazer a evocação e pedir o que desejam que seja realizado.

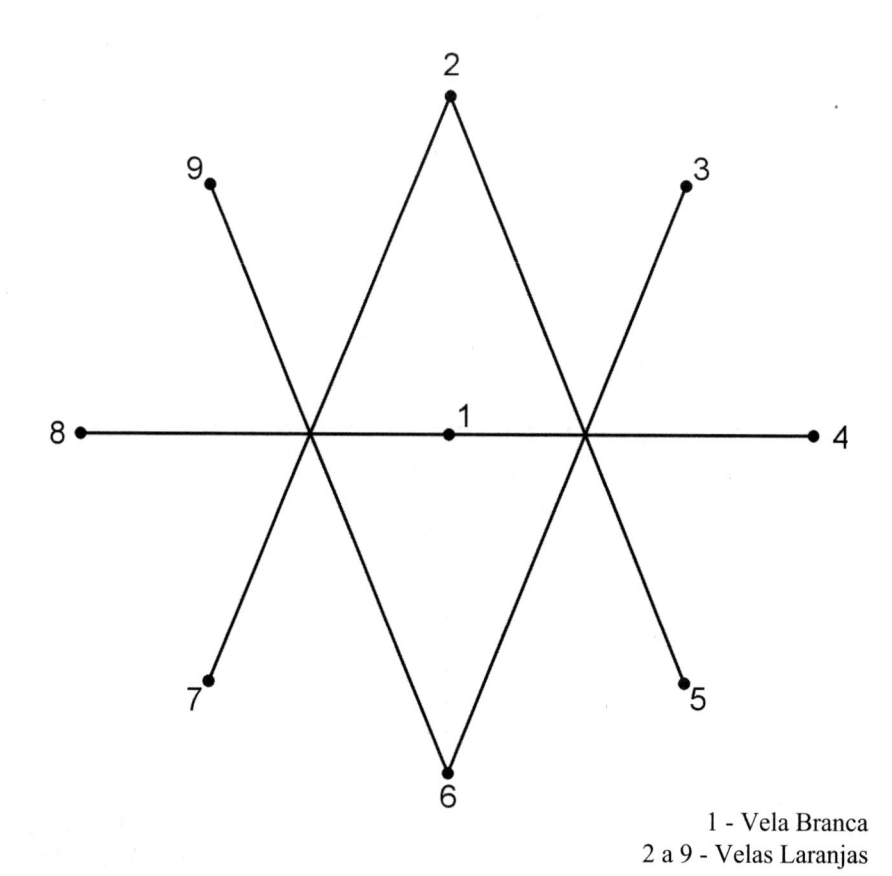

1 - Vela Branca
2 a 9 - Velas Laranjas

Evocação:
Eu evoco Deus, Seus Divinos Tronos, Sua Lei Maior e Sua Justiça Divina e os Tronos e peço que ativem este espaço mágico para que eu seja beneficiado nas minhas necessidades pelos poderes divinos aqui inscritos e firmados. (Após fazerem esta evocação mágica, devem dizer quais os benefícios desejados).

14ª Magia

Magia Riscada ótima para cortar demandas, para afastar inimigos materiais ou espirituais, para abrir os caminhos.

Após riscá-la e firmar as velas nos pontos indicados, devem fazer a evocação e pedir o que desejam que seja realizado.

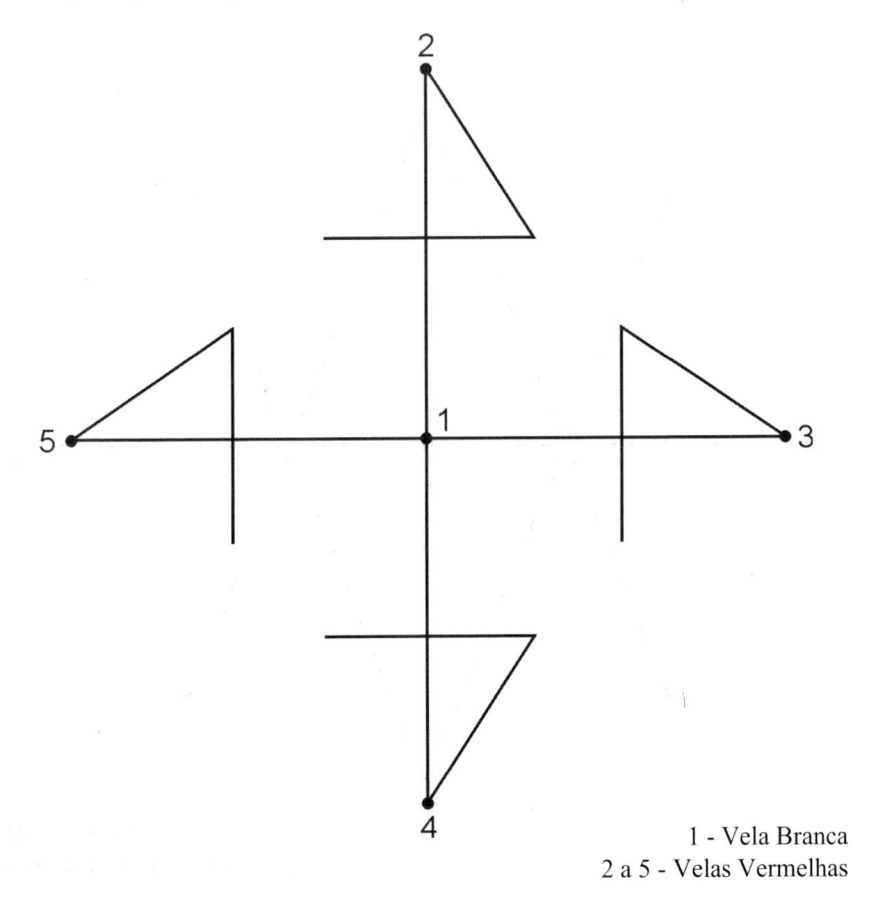

1 - Vela Branca
2 a 5 - Velas Vermelhas

Evocação:
Eu evoco Deus, Seus Divinos Tronos, Sua Lei Maior e Sua Justiça Divina e os Tronos e peço que ativem este espaço mágico para que eu seja beneficiado nas minhas necessidades pelos poderes divinos aqui inscritos e firmados. (Após fazerem esta evocação mágica, devem dizer quais os benefícios desejados).

15ª Magia

Magia Riscada ótima para afastamento de espíritos obsessores, para cortar magias negativas, para direcionamento profissional ou espiritual.

Após riscá-la e firmar as velas nos pontos indicados, devem fazer a evocação e pedir o que desejam que seja realizado.

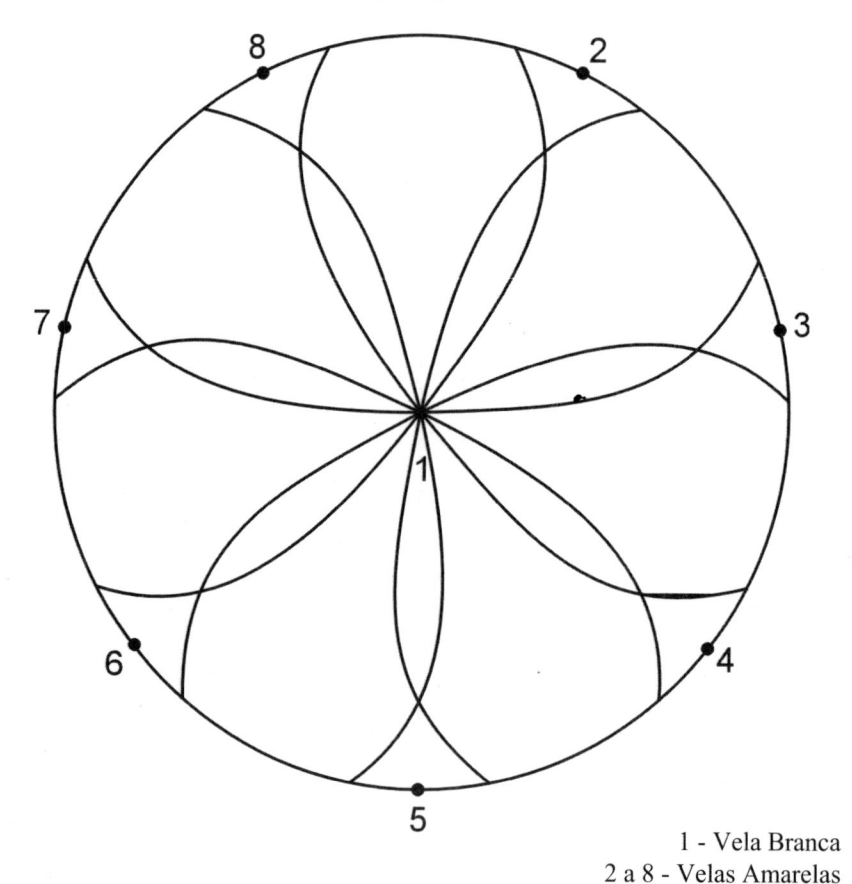

1 - Vela Branca
2 a 8 - Velas Amarelas

Evocação:
Eu evoco Deus, Seus Divinos Tronos, Sua Lei Maior e Sua Justiça Divina e os Tronos e peço que ativem este espaço mágico para que eu seja beneficiado nas minhas necessidades pelos poderes divinos aqui inscritos e firmados. (Após fazerem esta evocação mágica, devem dizer quais os benefícios desejados).

16ª Magia

Magia Riscada ótima para limpeza do lar, do ambiente de trabalho, para cortar atuações espirituais e para a saúde física.

Após riscá-la e firmar as velas nos pontos indicados, devem fazer a evocação e pedir o que desejam que seja realizado.

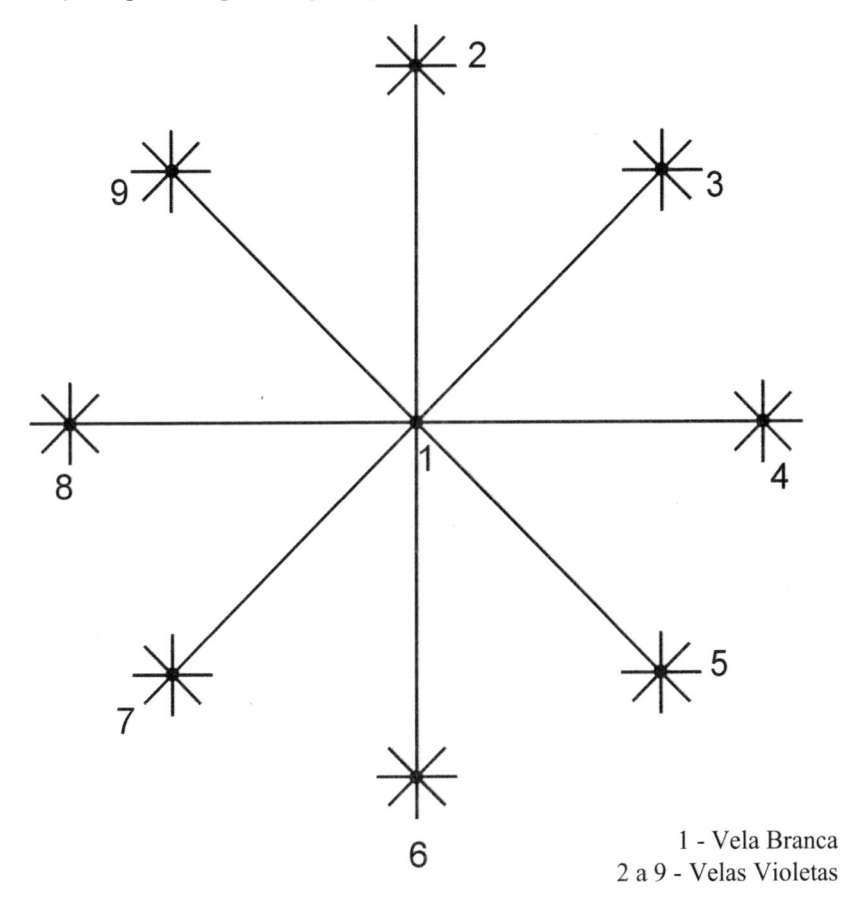

1 - Vela Branca
2 a 9 - Velas Violetas

Evocação:
Eu evoco Deus, Seus Divinos Tronos, Sua Lei Maior e Sua Justiça Divina e os Tronos e peço que ativem este espaço mágico para que eu seja beneficiado nas minhas necessidades pelos poderes divinos aqui inscritos e firmados. (Após fazerem esta evocação mágica, devem dizer quais os benefícios desejados).

17ª Magia

Magia Riscada ótima para saúde, para reequilíbrio emocional e racional, para limpeza energética, etc.

Após riscá-la e firmar as velas nos pontos indicados, devem fazer a evocação e pedir o que desejam que seja realizado.

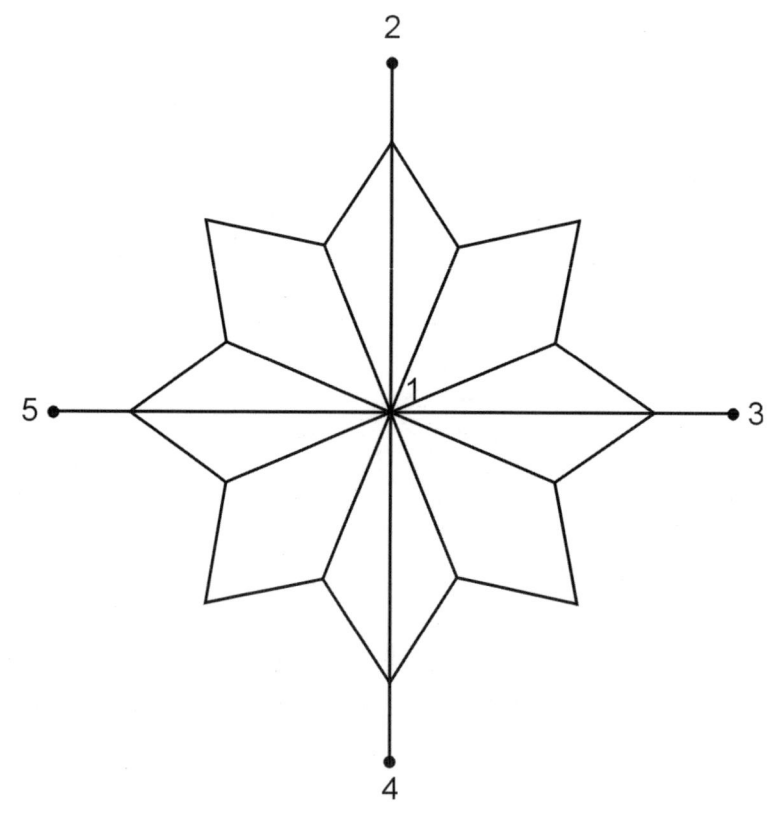

1 - Vela Branca
2 a 5 - Velas Lilases

Evocação:
Eu evoco Deus, Seus Divinos Tronos, Sua Lei Maior e Sua Justiça Divina e os Tronos e peço que ativem este espaço mágico para que eu seja beneficiado nas minhas necessidades pelos poderes divinos aqui inscritos e firmados. (Após fazerem esta evocação mágica, devem dizer quais os benefícios desejados).

18ª Magia

Magia Riscada ótima para limpeza energética, para saúde, para afastamento de espíritos sofredores, para abertura de novas oportunidades.

Após riscá-la e firmar as velas nos pontos indicados, devem fazer a evocação e pedir o que desejam que seja realizado.

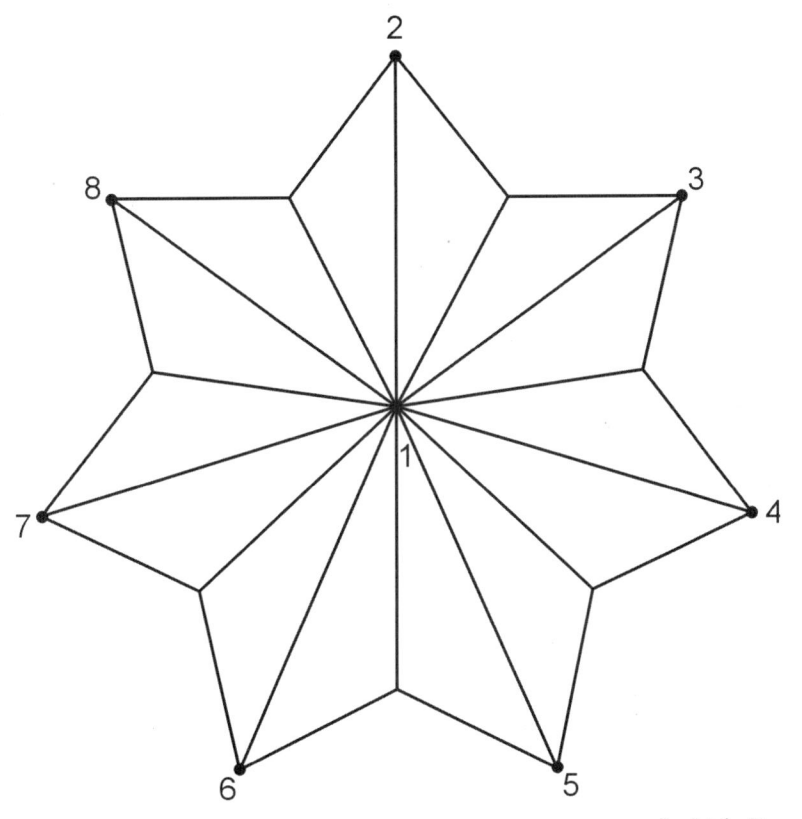

1 - Vela Branca
2 a 8 - Velas Azuis-Claras

Evocação:
Eu evoco Deus, Seus Divinos Tronos, Sua Lei Maior e Sua Justiça Divina e os Tronos e peço que ativem este espaço mágico para que eu seja beneficiado nas minhas necessidades pelos poderes divinos aqui inscritos e firmados. (Após fazerem esta evocação mágica, devem dizer quais os benefícios desejados).

19ª MAGIA

Magia Riscada ótima para afastamento de espíritos obsessores, desequilibrados e sofredores; para anulação de magias negativas; para recuperação de saúde, para limpeza do lar, etc.

Após riscá-la e firmar as velas nos pontos indicados, devem fazer a evocação e pedir o que desejam que seja realizado.

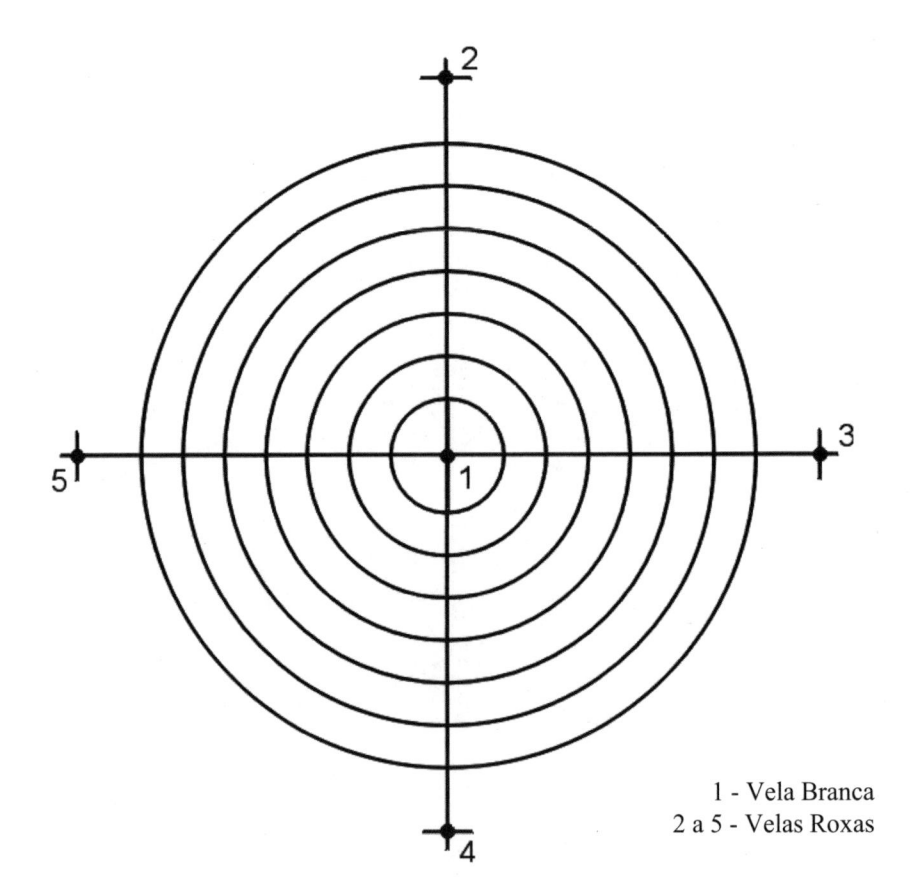

1 - Vela Branca
2 a 5 - Velas Roxas

Evocação:
Eu evoco Deus, Seus Divinos Tronos, Sua Lei Maior e Sua Justiça Divina e os Tronos e peço que ativem este espaço mágico para que eu seja beneficiado nas minhas necessidades pelos poderes divinos aqui inscritos e firmados. (Após fazerem esta evocação mágica, devem dizer quais os benefícios desejados).

20ª MAGIA

Mandala para Harmonização dos Relacionamentos (amoroso, profissional, familiar, etc.)

Após riscarem com giz ou pemba branca esta poderosa mandala do Trono do Amor, devem acender as velas e colocá-las nos pontos indicados e fazer a evocação.

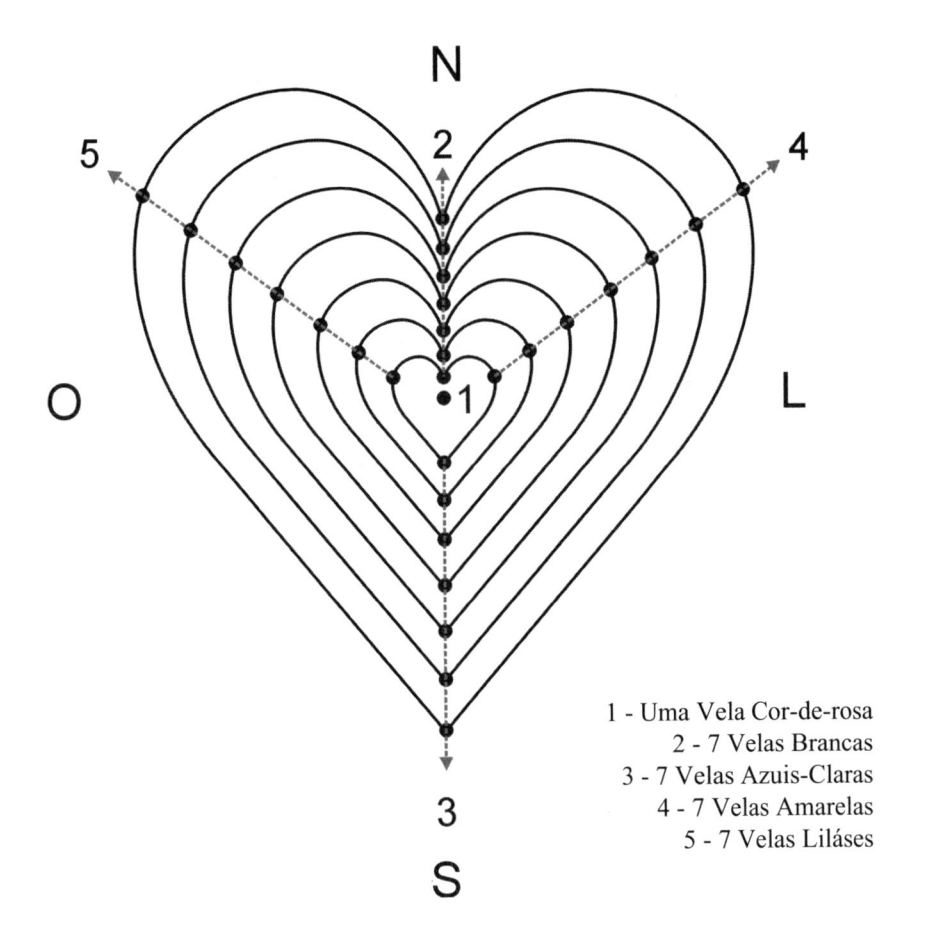

1 - Uma Vela Cor-de-rosa
2 - 7 Velas Brancas
3 - 7 Velas Azuis-Claras
4 - 7 Velas Amarelas
5 - 7 Velas Liláses

Evocação:
Eu evoco Deus, Seus Divinos Tronos, Sua Lei Maior e Sua Justiça Divina e os Tronos e peço que ativem este espaço mágico para que eu seja beneficiado nas minhas necessidades pelos poderes divinos aqui inscritos e firmados. (Após fazerem esta evocação mágica, devem dizer quais os benefícios desejados).

21ª Magia

Mandala Medicinal para o restabelecimento da Saúde.
Após riscarem esta mandala "medicinal", firmarem e acenderem as velas nas cores indicadas, devem fazer a evocação.

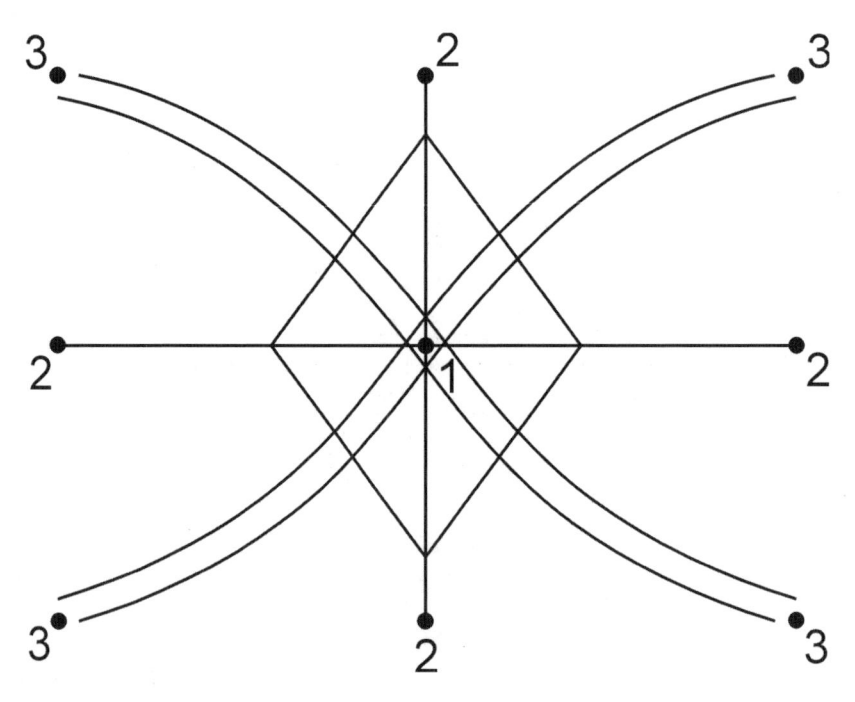

1 - Vela Lilás
2 - Velas Brancas
3 - Velas Verdes

Evocação:
Eu evoco Deus, Seus Divinos Tronos, Sua Lei Maior e Sua Justiça Divina e os Tronos e peço que ativem este espaço mágico para que eu seja beneficiado nas minhas necessidades pelos poderes divinos aqui inscritos e firmados. (Após fazerem esta evocação mágica, devem dizer quais os benefícios desejados).

22ª Magia

Mandala para o fechamento do solo etérico das casas (escritórios, comércio, etc.)

Após riscarem esta mandala compartilhada pelos Tronos da Fé e da Justiça Divina e firmarem as velas aqui indicadas, devem fazer a evocação mágica.

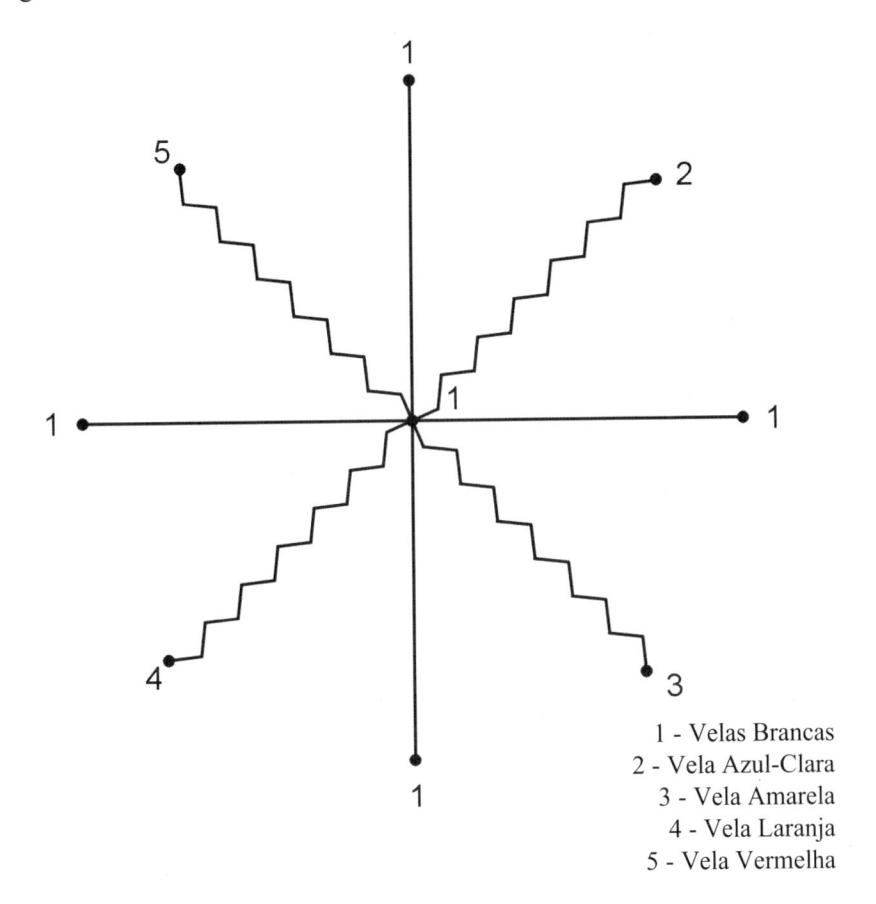

1 - Velas Brancas
2 - Vela Azul-Clara
3 - Vela Amarela
4 - Vela Laranja
5 - Vela Vermelha

Evocação:
Eu evoco Deus, Seus Divinos Tronos, Sua Lei Maior e Sua Justiça Divina e os Tronos e peço que ativem este espaço mágico para que eu seja beneficiado nas minhas necessidades pelos poderes divinos aqui inscritos e firmados. (Após fazerem esta evocação mágica, devem dizer quais os benefícios desejados).

Leitura Recomendada

MAGIA DIVINA DAS VELAS, A
O Livro das Sete Chamas Sagradas
Rubens Saraceni

Nesse livro, você aprenderá: ativar velas de várias cores para resolver problemas; desmanchar magia negra; ativar a Justiça, a Lei e a Cura Divina com folhas de arruda e vela branca; firmar velas de várias formas; realizar magias para curar, anular negativismo, afastar inimigo encarnado ou obsessor espiritual, descarregar energias negativas da casa, limpeza energética de casas ou locais de trabalho, entre outras.

MAGIA DIVINA DOS GÊNIOS, A
A Força dos Elementais da Natureza
Rubens Saraceni

Em *A Magia Divina dos Gênios* você verá a revelação dos mistérios desses seres da natureza e começará a ter contato com alguns procedimentos magísticos para evocar os gênios e favorecer-se do seu imenso poder. Aprenda com essa leitura a trabalhar com as forças sutis da natureza e a beneficiar-se com magias simples e fáceis de serem feitas.

LIVRO DA VIDA, O
As Marcas do Destino
Rubens Saraceni

Em *O Livro da Vida — As Marcas do Destino* o leitor vai conhecer e viver toda a saga de Levi Ben Yohai, o protagonista da narrativa, e se comover com sua história. Vai viver de verdade todas as suas alegrias e tristezas. Vai parar, pensar e refletir sobre a própria vida.

GUARDIÃO DA MEIA-NOITE, O
Rubens Saraceni — Inspirado por Pai Benedito de Aruanda

O Guardião da Meia-Noite é um livro de ensinamentos éticos, envolvendo os tabus da morte e dos erros vistos sob uma nova ótica. Nova porque somente agora está sendo quebrada a resistência da ciência oficial, mas que é, realmente, muito antiga, anterior aos dogmas que insistem em explicar tudo pela razão extraída nos laboratórios.